新世紀

第 306 号（2020 年 5 月）

The Communist

JN113777

帝国主義打倒！

スターリン主義打倒！

万国の労働者団結せよ！

2020年5月　No.306　目次

新世紀

日本革命的共産主義者同盟 革命的マルクス主義派 機関誌

新型コロナ肺炎禍に無為無策の安倍政権を打倒せよ

労働者・人民の生命と生活を危機に突き落とす安倍政権

日本全国へ感染が拡大した新型コロナウイルスの〝対処策〟として全国一律の小中高校休校要請を突如として発表した(二〇二〇年二月二十七日)首相・安倍晋三は、これにたいする労働者・人民の怒りに直面して、みずからの「要請」の正当性をおしだし居直りと弁明に大わらわとなっている。二月二十九日に記者会見に臨んだ安倍は、感染の拡大にたいして無為無策をきめこんできたことにはほおかむりして、〝感染を収束させるためにあらゆる手を尽くす〟だの〝子どもたちの健康を守るための措置〟だのとぬかした。

何が〝感染収束のため〟だ。国内感染者の数を表面上少なく見せかけるためにPCR検査(ウイルスの遺伝子検査)を徹底的に制限し、「高熱がでても検査してくれない」という人民の悲鳴を無視抹殺してきたのがこの政権ではないか。

この会見をおこなった安倍のもくろみは、〝感染拡大防止にあらゆる手を尽くす首相〟と自己宣伝するところにこそあったのだ。あろうことか、かのクルーズ船（ダイヤモンド・プリンセス）に約三七〇〇名もの乗客・乗員を閉じこめつづけ、そうすることによってウイルス拡散を招いたみずからの措置についても「ベストを尽くした」などと厚顔無恥にも居直りつづけているではないか。安倍政権の新型肺炎対策での無為無策、さらには東京高等検察庁検事長の定年延長問題、「桜を見る会」問題、これらにたいする労働者・人民の不信と怒りに包囲されて政権存続の危機に追いつめられている安倍は、この危機をなんとしてものりきることを策して、感染拡大抑制策を場当たり的にうちだすことに血道をあげたのだ。これこそ、危機に揺らぐ安倍日本型ネオ・ファシズム政権の断末魔のあがきにほかならない。

安倍がうちだした「一律休校要請」じたいが、生活困窮にたたきこまれている労働者・人民の生活を一顧だにすることもない実に犯罪的なしろものなのだ。現に夫婦共稼ぎや母子家庭の約五〇〇万世帯の労働者たちは、子どもを家に残すわけにもいかず仕事を休まざるをえない。多くの病院では、子育て中の医療労働者たちが欠勤せざるをえないがゆえに診療の縮小などを余儀なくされている。そもそも安倍政権の社会保障切り捨て政策のゆえに、公立・私立を問わず病院は病床数の削減を強いられ、慢性的な人員不足にさいなまれているのだ。

会見において安倍は、今後あらたな「賃金補償」の制度を創設するとか、これから第二弾の対策を検討するとかとほざいた。だが、日給制や時給制の非正規雇用労働者や請負労働者は三月二日からただちに収入が断たれたのであって、各企業に給付する「雇用調整助成金」などを労働者への「賃金補償」と吹聴するのは、しかも〝これから検討する〟などというのは、おためごかしいがいのなにものでもない。ただただ「首相の決断」なるものを喧伝するために、――官房長官・菅義偉や文部科学相・萩生田光一の反対をおしきって――みずからの独断で「休校要請」を発するという〝バクチ〟にうってでたのがネオ・ファシスト安倍なのである。内閣官房・NSC（国家安全保障会議）の内部対立さえ露わにしている最末期の安倍ネオ・ファシスト政権を、いまこそ労働者階級・人民の力で打ち倒せ！

政権延命のために感染実態を隠蔽

国内感染者が初めて確認された一月十六日いらい、PCR検査を徹底的に制限し、ただひたすら感染者を少なく見せかけることに狂奔したのが安倍政権なのだ。すでに市中感染が始まり、多くの労働者・人民がウイルス感染の危険に脅かされているにもかかわらず、政府・厚生労働省は、PCR検査を湖北省からの帰国者といわゆる「濃厚接触者」だけに限定した。

こうした対応は、まさしく、中国国家主席・習近平の国賓待遇での四月来日、国威高揚の儀式＝東京オリンピック・パラリンピックが「中止」に追いこまれる事態を回避せんがためなのである。〔習近平来日は延期と決定した。〕これらの国家的行事を予定通り開催することをつうじて、みずからの自民党総裁四選、憲法改悪への道をこじ開けるために安倍は、NSC専制のもとに厚労省・国立感染症研究所を直接の担い手として活用し、国内感染者数を少なく見せかけることに狂奔してきたのだ。

二月二十九日の記者会見において安倍は、PCR検査能力を増やしていくとか、保険を適用するとかと発表した。だが、「帰国者・接触者相談センター」＝厚労省だけに検査希望者の窓口を限定し、特定の病院に設置された「帰国者・接触者外来」において検査の可否を決定するという従来の制度をそのまま維持している。それは、軽症者や無症状の感染者はハナから検査対象にせず、検査数を極力おさえる仕組みにほかならない。現に彼らは「入院患者の確定にPCR検査の重点を移す」という検査実施基準を「基本方針」（二月二十五日に決定）に明記している。感染者数を韓国や欧米諸国に比して少なく見せかけることが、そして「軽症者は自宅で療養せよ」と号令し労働者・人民の大多数を病院の治療・検査の対象から放逐することが、安倍政権の「感染拡大防止策」の柱なのである。

もはや一刻の猶予もない。改憲と政権延命を何よりも優先し、労働者・人民の健康と生命など二の次・三の次にしている安倍政権を断じて許してはならない。すべての労働者・学生・人民の力で今こそ安倍政権を打ち倒すべきときだ。

経済破局に脅える政府・独占資本家階級の労働者・人民への犠牲転嫁を許すな

いまや、中国発の新型コロナウイルス肺炎が、南極を除く五大陸におよんで全世界に蔓延しつつある。このゆえに、世界経済は一挙に景気後退・不況局面に突入しつつある。このただなかで日本経済の危機はいよいよ進行し、安倍が吹聴してきた「経済の好循環」などという言辞の虚構性はますます鮮明になっている。中国における製造業の生産が通常時の三分の一以下にまで落ちこんでいるもとで、中国企業および中国に進出した日本企業は部品生産の停止に追いこまれている。世界のいわゆる「サプライチェーン」が完全に寸断されているがゆえに、日産など自動車産業をはじめとする日本の製造業企業も生産停止に追いこまれた。こうした操業停止にともなう業績悪化に焦りを募らせている資本家どもは真っ先に非正規労働者の解雇・雇い止めを強行しようとしているのだ。

中国むけ輸出も急減している。中国をはじめ外国人観光客の訪日（いわゆる「インバウンド需要」）の激減によって日本の観光業、交通運輸業がよりいっそうの収益悪化にたたきこまれることは歴然としている。このもとで諸企業の資本家どもは、観光地で働く労働者や観光バスの労働者を次々と解雇し路頭に放りだしているのだ。

内閣府が発表した（二月十七日）経済指標においても、昨年十〜十二月期の「個人消費」は前期比マイナス二・九％、ＧＤＰ成長率（速報値）はマイナス一・六％（年率換算六・三％）と急減したことが示されている。

昨年十月の消費税増税によって生活苦を強制されてきている労働者・人民は、さらに新型肺炎の全世界的流行がもたらした経済危機のしわ寄せを受けているのである。

二〇春闘において独占資本家どもは、企業業績悪化の見通しを理由に徹底的な賃金抑制攻撃をしかけている。中小企業の倒産にともなって、数多の労働者が解雇されている。労働者・人民への一切の犠牲の転嫁を許すな！

新型コロナ肺炎が全国的に拡大しているにもかかわらず、二月二十五日に安倍政権が発表した新型肺炎対策の「基本方針」に関連する予算（一九年度予算の予備費などから捻出）は、わずか一五三億円であり、最新鋭ステルス戦闘機Ｆ35一機分にも満たないのだ。〔シンガポール政府の感染対策費は五〇〇〇億円。〕

このかん安倍政権は、社会保障関連の財政支出の抑制・大幅削減に狂奔してきた。その一環として公立病院の統廃合や病床数の削減を医療機関に強制してきた。医師の数も意図的に削減してきた。毎年、社会保障費の自然増の抑制のために、社会保障施策の切り捨てと、大衆収奪の強化を強行してきたのがこの政権だ。〝国民は自分の健康は自己責任で守れ、国に頼るな〟と公言し、社会的弱者の切り捨てを強行してきた安倍政権は、新型肺炎対策にもこのネオ・ファシスト的政策を貫徹しようとしているのである。

その反面で安倍政権は、五兆三〇〇〇億円（補正予算を除く）の防衛予算や数千億円の米軍関連経費を二〇年度予算案に計上しただけではない。在日米軍経費の日本側負担を四倍増にせよ、アメリカ軍のインド・太平洋地域への展開費用も負担せよという国家エゴイズムをむきだしにしたトランプ政権の要求に応じようとしている。また、巨額のアメリカ製兵器を爆買いしようとしているのである。まさに労働者・人民から搾りとった血税をトランプに献上しようとしているのが、安保の首輪と鎖につながれた安倍政権なのである。

＜反安倍政権＞の闘いに起て！

新型肺炎対策において無為無策と反人民性を露わにしている安倍政権。この政権はいま、腐敗まみれの最末期的姿をさらけだしている。

安倍はみずからの手兵・改憲翼賛勢力を「桜を見る会」に参集させて公費で饗応・接待しただけでなく、政治資金規正法違反あるいは公職選挙法違反の前夜祭＝懇親会を開催したことが明白になった。〝安倍事務所はホテルとの金銭のやりとりをやっていない、契約主体ではない、明細書はない、したがって政治資金収支報告書に記載が無くても違法ではない〟などといった安倍の言い逃れが、すべてウソであったことは、いまや誰の目にも明らかとなっているのだ。

自己の身を守るために検察をコントロールする必要性に迫られている安倍は、次期検事総長にみずからの子飼い分子・黒川弘務（東京高検検事長）を据えるために、黒川の「定年延長」を強行した。安倍の国会答弁（「国家公務員法と検察庁法の解釈変更を決定した」という大ウソ）とのつじつまをあわせるために内閣官房・ＮＳＣが全省庁・官僚を統制し、日付のない文書まで偽造したり、戦前の帝国憲法の条文を検事の定年延長の法的基礎づけにもちだしたりして、安倍や法相・森雅子がウソにウソを重ねていることが白日のもとにさらけだされているのである。

すべての労働者・学生・人民は、安倍ネオ・ファシスト政権の犯罪性・反人民性を暴きだし、〈反安倍政権〉の闘いに断固として決起せよ！

新型コロナウイルス肺炎の大流行を招いた安倍政権弾劾！　貧困層・弱者に矛盾をしわ寄せする安倍式新型肺炎対策を弾劾せよ！　感染実態の隠蔽を許すな！　新型肺炎を口実とした賃金抑制攻撃粉砕！　二〇春闘勝利！　資本家による労働者への犠牲転嫁に協力する「連合」労働貴族を許すな！　〈一律大幅賃上げ〉をかちとれ！

IR疑獄弾劾！「桜を見る会」の不正饗応弾劾！

安倍政権の社会保障切り捨て反対！　大衆収奪の強化反対！　野党共闘による予算組み替え要求にうつつを抜かす日共中央を弾劾せよ！　アメリカ製兵器爆買い・米軍支援費用の大幅増大を許すな！　日米核軍事同盟の強化反対！

安倍政権の憲法改悪を阻止せよ！　今こそ、労働者・人民の実力で安倍政権を打ち倒せ！

（二〇二〇年三月四日）

追記――安倍政権は「緊急事態宣言」を発するために必要と公言しつつ、三月十三日に、新型コロナウイルス対策「特別措置法」の制定（二〇一二年五月に民主党政権下で制定された「新型インフルエンザ等対策特別措置法」の改定）を強行した。政府の無能無策によって労働者・人民をウイルス蔓延・感染の恐怖にたたきこんでおきながら、この惨事につけこんで立憲民主党と国民民主党を抱きこみ、〝与野党の挙国一致〟のもとで新法を制定したのが安倍だ。このネオ・ファシストは、新法の制定と「緊急事態宣言」の発布を強行し、もって「国家防衛」のために、労働者・人民の「私権」を制限・剥奪しうる緊急事態条項の憲法への明記を――九条改定とともに――なんとしてもなしとげようとしているのである。

〈反安倍政権〉の闘いに起て

改憲阻止・反戦反安保の一大奔流を！

新型肺炎への対応で反人民性をむきだしにする安倍政権

中国発の新型コロナウイルス肺炎の感染が日本においても拡大しつづけている（国内の感染者八五〇名、死者四名。二〇二〇年二月二十四日現在）。この新型肺炎への対応において無為無策と反人民性をあらわにしているのが安倍政権にほかならない。

この政権が「水際対策」の名のもとに二月三日いこう横浜港に留め置いてきたクルーズ船「ダイヤモンド・プリンセス」号（香港での下船者からウイルスが検出された）の船内では、感染の危険が高いエリアと安全なエリアとを区分するという感染症対策の基本さえもがなおざりにされた。このような環境のもとで、十分な検査・医療をおこなうこともなく、約三七〇〇名もの乗客・乗員をただただ狭い船内に閉じこめ、そうすることによってウイルスの感染拡大を招いたのが安倍政府・厚生労働省なのだ。〔なお、こんにち、アメリカ人観光客にたいするクルーズ船留め置きの措置は、アメリカ政府の指示を受けてのものであったことが明らかにされている。〕しかも、こうした「水際対策」なるものに固執する他方において、安倍政権は国内における防疫・検査・治療の体制を整えようともせず、国内感染を拡大させつづけたのだ。

この安倍政権の大失策にたいして労働者・人民の不信と怒りは日に日に高まっている。さらに世界中から「日本は感染大国」とか「いま世界が一番心配しているのは日本」(WHO〔世界保健機関〕のシニアアドバイザー)とかという批難が巻きおこっている。この事態をまえにして首相・安倍晋三は、船内での政府の無対応さを告発した専門家をネット上で厚労副大臣に直接恫喝させさえした。政府への批判者のあぶりだしと情報統制・隠蔽に狂奔しているのが安倍政権なのだ。

労働者・人民が見えざるウイルスの蔓延に脅え、そして現に犠牲者が生みだされてもいるこのときに、安倍の脳裏をもっぱら占めているのは、四月に予定している中国国家主席・習近平の国賓としての来日と、東京オリンピック・パラリンピック——この両者の「中止」という事態を回避することにほかならない。〝外交の安倍〟なるものの演出とオリンピックの実現によるナショナリズムの高揚とをテコとして総裁四選へ、そして悲願の改憲へ——これこそが安倍の願望なのであって、このみずからのプランを最優先にする観点から、ウイルス感染を検査(PCR検査)する体制や感染者を治療する医療体制を構築することもなおざりにしているのが安倍政権にほかならない。

安倍政権・自民党にとっては政権の延命と改憲の野望実現こそが第一義、労働者・人民の生命を守ることなどは二の次・三の次なのだ。げんに、新型コロナウイルスが蔓延しはじめた当初において、「新型コロナ対策のためには〔憲法に〕緊急事態条項が必要だ」などと言い放っていたのが自民党の極右分子どもだったではないか。

新型コロナウイルスの蔓延が浮き彫りにしたものこそは、悪逆の限りをつくしてきた安倍日本型ネオ・ファシズム政権の反人民性にほかならない。

二月十七日に発表された内閣府の経済指標において、一九年十〜十二月の実質GDP（国内総生産）成長率がマイナス一・六％（なかでも「個人消費」がマイナス二・九％）、年率換算ではマイナス六・三％（五年半ぶりの下落幅）であったと示された。多くの労働者・人民が低賃金のゆえに生活苦にあえいでいるなかで、安倍政権が強行した消費税税率の一〇％への引き上げ（一九年十月一日）が追いうちをかけ〝個人消費を激減させたのだ。これに加えて、今年一月以降は、現在進行中の新型肺炎蔓延ゆえの対中国輸出の激減、中国国内の工場閉鎖、観光業をはじめとするいわゆる「インバウンド需要」の激減などによって、さらに落ちこむことは歴然としている。もはや誰の目にもあらわな＜アベノミクス＞なるものの破綻をとりつくろうために「経済の好循環」なる〝デタラメを吹聴してきた安倍は、いまや顔面蒼白となっているのだ。

それだけではない。安倍政権は、いわゆる「桜ゲート」をめぐっての労働者・人民の不信と怒りに直撃されている。「桜を見る会」の招待者名簿（公文書）の改ざん・偽造、その責任の官僚への転嫁。さらに安倍後援会主催の「前夜祭」なるものにおいては「参加者数百名一人ひとりがホテル側と契約した」などのウソ八百の乱発。追及する野党議員にたいしては「意味のない質問だよ」という逆ギレ・恫喝。――これらの対応が労働者・人民の怒りの火に油を注ぎ、新型肺炎問題にたいする無為無策への怒りともあいまって、内閣支持率の急落に安倍はみまわれている。

政治資金規正法にも違反するみずからの犯罪が明々白々となり脅えている安倍は、おのれの身を守るために東京高等検察庁の検事長・黒川弘務を今夏をもって検事総長の座に就けることを策謀している。かつて小渕優子や甘利明といった安倍内閣閣僚の不祥事事件を不問に付した〝実績〟をもつ生粋の〝安倍子飼い〟分子たる黒川を、検察のトップにすえるために、検事長としての定年を延長させて今夏まで居座らせるという策にうってでたのであった。NSC（＝自分）の意向ひとつで検事長の定年延長を閣議決定し、これが批判されるや後から「国家公務員法の解釈を変更した」などと強弁しているのが安倍だ。まさに、NSC（国家安全保障会議）専制というべき強権的支配体制の構築に狂奔してきた安倍政権、その横暴と驕りと反人民性とがむきだしになっているではないか。

今こそ労働者・学生の力で、最末期の姿をあらわにするこの日本型ネオ・ファシズム政権の命脈を断て！「ファシズム反対」の旗高く、「反安倍政権」の闘いを巻きおこせ！

安倍政権は、在日米軍駐留経費の四倍以上への増額やアメリカ製兵器のさらなる購入を迫るトランプにたいして、「不滅の柱である日米同盟を堅牢に守る」などと誓いをたてている。新型肺炎患者が拡大し人民が苦しんでいるこのときに、労働者・人民の血税をトランプに差しだそうとしているのだ！日米安保同盟の鎖に縛られた「属国」日本の安倍政権、この反人民性をむきだしにする安倍政権を打ち倒せ！

国家エゴイズムの相互衝突に覆われる現代世界

中国を震源として全世界にひろがる〝コロナウイルス禍〟のもとで各国権力者どもは、中国経済と密接にむすびついてきた自国経済の減速・停滞・後退の危機に脅えている。この危機のただなかで、アメリカと中国・ロシアの権力者どもは二十一世紀世界の覇権をかけて相互に激突しながら、内に向けては労働者・人民に犠牲を転嫁するとともに彼らの反逆を抑えこむために強権的な支配体制を一挙に強化しようとしている。

「偉大なアメリカ」の演出に狂奔するトランプ

アメリカ帝国主義のトランプ政権は、中国との貿易交渉におけるいわゆる「第一段階合意」をば今秋

中東派兵阻止！ 海自護衛艦「たかなみ」に怒りの拳（2020年２月２日、横須賀）

の大統領選挙に向けたおのれの〝成果〟として誇示したのも束の間、新型コロナウイルスの流行を眼前にして青ざめている。ウイルス蔓延によって中国における需要の減速が深刻化しているがゆえに、アメリカ産農畜産物の大量購入という合意の履行も危ぶまれ、こうして選挙向けの〝目玉〟と位置づけてきた「対中国貿易赤字の削減」の演出が総崩れになりかねないのだからである。もしも、中国向け農畜産物の輸出・販売を拡大できなくなれば、トランプが支持基盤とあてこむ「ファームベルト」の農民たちの支持をトランプは一挙に失いかねない。

まさにこのゆえにトランプ政権は、「偉大なアメリカの復興」を演出することによりいっそう躍起となっているのであり、そのために対外的にはアメリカの国家エゴイズムをよりむきだしに貫徹しようとあがいている。

今秋に迫った米大統領選をめぐっては、民主党は「民主社会主義者」を自称するサンダース、資産総額六兆円というアメリカ有数の大富豪ブルームバーグ、そしてこの両者を批判し「中道」をおしだす三十八歳のブティジェッジなどが乱立し、指名争いは混沌の様相を呈している。これを横目でにらみつつ、民主党の候補者が固まるまでのあいだに大統領としてのおのれの〝成果〟なるものをアピールすることにトランプは血眼となっているのだ。〔もっとも、トランプが「私の当選後、アメリカの株式市場は七〇％高騰」(二月四日の一般教書演説)などとおしだしている事態の〝真相〟は、アップルなど大企業が自社株を株式市場から大量に〝買い戻す〟ことで株価をつりあげているということにすぎない。トランプが自画自賛する「アメリカの好況」なるものはまったくの虚構なのだ。〕

トランプの足元では、これまで〝岩盤支持層〟をなしてきた「キリスト教福音派」の一部が、こんにち「ウクライナ疑惑」をめぐってウソをくりかえすトランプを「不道徳」「教義に反する」と断罪している。彼らの離反をくいとめることを狙ってトランプは、「和平から繁栄へ」と銘打たれたイスラエル―パレスチナ「和平案」なるもの――実質上の〝イスラエル一国家案〟――を発表した(一月二十八日)。

トランプが「世紀のディール」などと誇示するこの「和平案」の内実たるや、①イスラエルにはエルサレムの全域(イスラームの聖地がある旧市街を含む)を「分割されることのない首都」として認め・ヨルダン川西岸地域のほぼすべての入植地をイスラエル領として認める一方で、②パレスチナ「国家」にはイスラエル領土に囲まれあちこちで分断された虫食い状態の土地(とわずかな「砂漠地帯」)のみを領土として認める。さらには、③およそ六〇〇万人のパレスチナ難民について、その難民としての資格と帰還権を永久に剝奪する――という、シオニスト権力者どもの要求をほぼ全面的に取り入れたものにほかならない。

このトランプの「パレスチナ和平」ならぬ〝イスラエル一国家案〟に怒りを爆発させたパレスチナ人民は反米・反シオニズムの闘いに陸続と起ちあがっている（ファタハとハマスとが「反米・反イスラエル」の一点で共闘を合意)。これにたいして狂気の弾圧にうってでているのがシオニスト権力者どもである。まさにトランプの「中東和平案」ゴリ押しは、アメリカ・イスラエルとイランおよび〝三日月地帯〃のシーア派諸勢力とのプレ戦争状態にある中東を大戦争にたたきこむものにほかならない。

　誇大妄想狂よろしく選挙向けの自己宣伝に終始した「一般教書演説」のなかでトランプが強調したのが、「ようやく同盟国に公平な負担を支払わせるようになった」ということであった。いまやトランプ政権は、在日米軍駐留経費の日本側負担額の四倍以上への引き上げだけではなく、インド太平洋地域に米軍が展開するための費用をも安倍政権に要求している。そればかりか、すでに決定しているメキシコ国境の壁増設のために米国内外の軍事施設費の転用、その穴埋めをも安倍政権に強制しようとさえしているのがトランプ政権なのだ。

海自Ｐ３Ｃの中東出撃に抗議（１月11日、那覇基地前）

　このように同盟国からのむしりとりを強めながらトランプ政権・米軍は、中国・ロシアの核戦力における対米キャッチアップを許さず・この両者にたいしていつでも核攻撃による壊滅的打撃を与えうる態勢の構築を急ピッチでおしすすめている。二月上旬、トランプ政権・米軍は、「低出力核」すなわちいわゆる〃使える核兵器〃を搭載したＳＬＢＭ（潜水艦発射型弾道ミサイル）を実戦配備したと発表した。さらにこの政権は、潜水艦や艦船から発射することのできる新型の核巡航ミサイルの開発にも着手した。実に二・二兆ドルという空前の巨費を投じてのこうした核戦力増強をトランプは、国内に向けては「キープ・アメリカ・グレイト」の象徴として誇示しているのだ。

　かの「ウクライナ疑惑」をめぐる弾劾裁判（アメリカ史上三人目）を、与党・共和党の上院における数の優位でもってかろうじてのりきったトランプ。このトランプは今、みずからに都合の悪い証言をする政府高官を次々と更迭したり、また偽証罪に問われた側近への求刑を取り消すよう司法省に圧力をかけたりというように、横暴の限りをつくしている。選挙が近づけば近づくほどに、強権性と三歳児的自己中心主義性をむきだしにしているのが、この暗愚の大統領なのである。

〝昇竜失墜〟の習近平・中国

二十一世紀世界の覇権奪取をかけてアメリカ帝国主義との〝長期戦〟を構えている「市場社会主義国」中国の習近平政権は、そのためにこそ、新型コロナウイルスの爆発的蔓延が招きよせつつある経済破局の危機をのりきること、そしてなによりも労働者・人民の反逆を抑えこむことに、その全体重をかけている。

感染の被害を小さくみせかけるための情報統制・隠蔽と、医療・防疫体制の準備の決定的遅れとによってウイルスを中国全土と全世界にばらまいた習近平指導部。彼らはいまや三月五日に開催予定であった全国人民代表大会をも延期せざるをえなくなった。『人民日報』系の『環球時報』すらもが「当局がただちに適切な対応をとらなかった」と政府を批判する論評を掲載するほどに、労働者・人民の怒りの声におされて党内からも習指導部の責任を追及する声があがりつつある。強権的支配を敷き人民の頭上に君臨してきた習指導部の権威はもはや地に落ちているのだ。

わきあがる人民の怒りと反発を封じこめるために習近平政権は、一方では、武漢の行政トップの更迭（後釜には公安出身者）や医療労働者のストライキ闘争がたたかわれている香港の担当者の更迭（後釜には習近平の側近）といったトカゲの尻尾切りに狂奔するばかりか、習近平が一月二十日（最初の患者発生から六週間後！）に出した「重要指示」なるものは「実は二十日でなく七日に早くも出されていた」などという見えすいた大ウソまでついて、〝権威回復〟に躍起となっている。他方では、被害状況の実態を明らかにする医療従事者の口封じや、「習近平退陣」の声をあげる人権活動家の拘束などになりふりかまわず狂奔している。これらのすべては、みずからの強権的支配体制のゆらぎに直面しつつある習近平政権の、なみなみならぬ危機意識のあらわれにほかならない。

ウイルスの全土への蔓延はすでに中国国内経済の破局的危機を招来しつつあるばかりか、中国を中心とする「一帯一路」経済圏に組みこまれた諸国の経済をも危機に叩きこんでいる。中国共産党創立一〇〇周年にあたる来年＝二〇二一年に「小康社会」（いくらかゆとりのある社会）を実現し、そして中華人民共和国成立一〇〇周年＝二〇四九年までにはアメリカをしのぐ「社会主義現代化強国」としてそそり立つ――このような「中国の夢」が、〝うたかたの夢〟と化し砕け散りかねない瀬戸際に習近平政権は立たされているのだ。まさにこのゆえにネオ・スターリニスト官僚・習近平は、おのれを頂点とする官僚専制支配体制の護持をかけて、貧窮の深まりにくわえて疫病の脅威にさらされている人民の怒りを抑えこむことに血眼となっているのだ。

新型肺炎の拡大によって労働者・人民が苦しんでいるさなかでも、莫大な国家予算をつぎこんで対米核戦力の増強に突きすすんでいるのが、中国ネオ・スターリニスト官僚どもである。

自衛隊と在日米軍との合計数をすでに上回ってい

る航空戦力のさらなる増強やミサイル（中距離ミサイル・極超音速ミサイル）の増配備にくわえて、二隻目の空母「山東」（初の国産空母）の就役。米軍の指揮命令系統の撹乱・破壊を狙った軍事衛星の増強や月面基地の建設をも射程に入れた宇宙軍拡への突進。こうした核戦力の増強を基礎にして中国権力者は、トランプ政権が政治的・軍事的に支援する台湾の蔡英文政権を恫喝するために、空母や戦略爆撃機の台湾海峡通過という威嚇的な軍事行動を連続的に強行しているのだ。

新たな強権的支配をたくらむプーチン

この中国との実質上の反米同盟をうち固めつつトランプのアメリカに対峙しているのがロシアのプーチン政権である。この政権は、国内においては「反プーチン運動」の高揚にさらされている。貧困に苦しむ労働者・人民には年金制度改悪の攻撃をふりおろす他方で、汚職で巨万の富を蓄えているプーチン・ファミリー（前首相メドベージェフは一〇〇億円の豪邸を保有）。この腐敗した政権にたいする怒りに燃えて労働者・人民が起ちあがっているのだ。

これに直面しているプーチンは、「新たな国家運営のあり方が求められている」と称して、メドベージェフを首相から解任し（あらたに税務官僚のミシュスチンを首相に任命）・内閣を総辞職させるとともに、憲法改定案を議会に提出した。それは、政権幹部・地方首長などからなる「国家評議会」（現在は大統領の諮問機関）を憲法に明文化し・この機関が「内政と外交の基本方針や社会経済の優先的方針を定める」と規定するものである。この「国家評議会」議長にみずからが就任し、大統領をも超越した絶対的権力者へとおのれをおしあげることをたくらんでいるのがプーチン〝雷帝〟なのだ。（しかも、大統領退任後にみずからにまつわる汚職が暴かれることを恐れるプーチンは、〝大統領経験者は過去の罪で訴追されない〟という内容をも憲法に盛りこもうとしている。）

外に向けてはプーチン政権は、日本をはじめとするアジア地域に中距離核ミサイルを配備しようとしているトランプ政権に対抗して、中国に最新鋭ミサイル迎撃システム「Ｓ４００」や早期警戒システムを提供するとともに、みずからもまた米軍のＭＤ（ミサイル防衛）システムを突破する極超音速中距離ミサイルの実戦配備など、空前の核軍拡に突きすすんでいる。極東においては、北方諸島を、在日米軍基地を狙う新型ミサイルの拠点としてうち固めようとしている。「共同経済活動」と称して日本からの経済的支援をひきだすだけひきだしたうえで、北方諸島の「返還」にはいっさい応じてこなかったのがプーチンであるが、このプーチンはいまや新憲法に「領土の不割譲」を明記しようとさえしているのだ。

海自基地にむけ全学連が戦闘的デモ（２月２日、横須賀）

安倍日本型ネオ・ファシズム政権を打ち倒せ！

すべての労働者・学生諸君！　米と中・露が全面的に激突する現代世界において、中東で、アジアで戦乱勃発の危機が高まっている。中東においては、米軍とイラン革命防衛隊とが互いに臨戦態勢をとり対峙している。反米シーア派国家イランを公然と支えアメリカの前にたちはだかっているのがロシア・中国の権力者であって、中東で戦火が噴きあがるならば、ただちにそれは世界的大戦へと発展しかねないのだ。アジアにおいても、日本列島へのアメリカの新型中距離ミサイル・新型核兵器の配備に狂奔するトランプ政権と、実質上の反米同盟を強めながら対米の核戦力の増強に突きすすむ中国の習近平政権およびロシアのプーチン政権とが激突している。

　われわれは、日本の地において、アメリカの対イラン軍事攻撃に反対し、米―中・露の核戦力強化競争に反対する反戦闘争を断固として巻きおこそうではないか！　戦争的危機の高まりと同時に、全世界で労働者・人民が極限的な貧困と圧政を強いられ、そのうえ新たな疫病の苦しみを権力者によって強制されている。この許しがたい現実への憤激のパトスに燃えて力の限りたたかおうではないか！

　安倍政権はもはや断末魔の危機にのたうっている。新型コロナウイルス問題をめぐる無策と反人民的対応、「桜を見る会」での税金を使った不正接待、安倍〝子飼い〟分子を検事総長にするための東京高検検事長・黒川の「定年延長」決定、多額の軍事費を投じた大軍拡への突進、消費税増税や社会保障の切り捨て――これら安倍政権の反動政策・腐敗・疑獄に憤るすべての労働者・人民の怒りを結集し、〈反安倍政権〉の闘いを巻きおこせ！

　憲法改悪の策動を打ち砕け！　改憲案の今国会提出を断じて許すな！　日共の不破＝志位指導部は総選挙をにらんだ枝野幸男（立憲民主党）や小沢一郎からの秋波に舞いあがり、労働者・人民の運動を議会内で政権を追及する野党の応援団へとおとしめている。この日共中央を弾劾し、「ファシズム反対」の旗高くたたかおう！

　アメリカの国益第一主義をむきだしにし、世界中の人民の怒りの的となっているトランプに文字通り世界で唯一つき従っているのが安倍にほかならない。「互いに守り合う関係」に高まった日米同盟を「今後六十年、一〇〇年先まで……堅牢に守る」などとほざきながら、ありとあらゆる軍事的・経済的要求を受けいれようとしているのだ。この安倍政権を断じて許すな！

　露骨きわまるイスラエル擁護策と、かのイラン革命防衛隊司令官爆殺をはじめとする国家テロルの強行とによって中東に戦乱の火種をバラまきつづけるトランプ政権。このトランプ政権は、「同盟国に求めるのは米軍駐留経費だけでなく防衛能力・リスク共有なども含む」（米国務次官補クーパー）などとほざきながら、「属国」日本の安倍政権にたいして中東への自国軍派遣を強要している。この要求に応えて安倍政権は、海上自衛隊の護衛艦「たかなみ」を――労働者・人民の反対闘争を踏みにじって――中東・オマーン湾へと送りこんだ。まもなくオマーン湾で「任務」を開始しようとしている「たかなみ」を、トランプ政権・米軍はただちに米第五艦隊の指揮下に組みこむにちがいない。しかも、在日米軍駐留経費の日本側負担分を定めた特別協定の改定（来年三月）をめぐる交渉がはじまろうとしている今、トランプ政権は日本からカネを徹底的にむしりとろうとしている。

日米安保同盟の鎖を断ち切らないかぎり、日本は〝トランプの戦争〟に引きずりこまれてゆくとともに、労働者・学生・人民はトランプ政権に差し出すあらゆる費用を、大衆収奪の強化というかたちで安倍政権によってむしりとられるのだ。日米安保条約の改定（一九六〇年）から六十年目を迎える今、日米軍事同盟の反人民性はこのうえなくむきだしとなっているではないか。このときに、「〔野党連合〕政権としては安保法制強行以前の憲法解釈・法制度・条約上の取り決めで対応する」などとほざき、「反安保」を完全放棄しているのが日共中央だ。この犯罪を弾劾し、今こそ反戦・反安保のうねりを巻きおこせ！

日米新軍事同盟＝対中国・対ロシア攻守同盟の飛躍的強化に断固反対せよ！　アメリカによる対イラン軍事攻撃と、これへの日本の加担＝参戦を許すな！　日本全土への中距離核ミサイルの配備、辺野古新基地建設の攻撃を労働者・学生の力で打ち砕け！　在日米軍駐留経費の大増額反対！　日本の軍事費の増額を許すな！　安保破棄めざしてたたかおう！

今こそ、極反動の安倍日本型ネオ・ファシズム政権を打倒する一大闘争を断固として創造しようではないか！

（二〇二〇年二月二十四日）

安倍の大失策のもとで苦闘する医療労働者

新型コロナウイルスの国内初の感染患者が確認され(二〇二〇年一月十六日発表)、その後感染者が増えつづけている。感染者数が激増した二月以降、安倍政権はまったくの対応不能と緊迫感のなさをさらけだした。首相・安倍晋三は二月上旬までマスコミのトップやとりまき文化人らとの会食ざんまいであり、閣僚ども(小泉進次郎・森雅子・萩生田光一)は「コロナウイルス感染症対策本部」の初会合もさぼった(二月十六日)。この安倍政権の無為無策によって、コロナウイルスは蔓延し、医療労働者たちの労働はいっそう苛酷なものとなっている。

通常の入院や外来の患者にたいする治療に加えて、コロナウイルス感染の疑いのある患者への診断・治療・対策(他の一般の患者と接触しないような動線の区分や感染予防のための消毒の徹底など)に追われている。その苦難に拍車をかけたのが、安倍独断の「全国一斉休校要請」である。後手後手の対応策がことごとく失敗しその取り戻しを狙ってうちだしたバクチ的な「休校」措置によって、子どもの世話のために勤務できない看護師たち・それをカバーするべく労働強化に耐える残された看護師たち、彼らの業務量も家事も一挙に増大している。また、小学校低学年の子どもをもつ看護師が多い医療機関では、外来閉鎖・病床縮小など医療サービスを限定せざるをえなくなっている。

医療労働者の一部は、DMAT(災害派遣医療チーム〕としてクルーズ船に派遣され感染の危険を冒しながら乗客たちの救護にあたった。ＤＭＡＴ派遣病院では、派遣された労働者の長い「出勤停止」（派遣後二週間の自宅隔離を含む）に直面し、残った労働者は労働強化を強いられた。

これら医療労働者たちの奮闘にもかかわらず新型コロナウイルス感染による肺炎患者が増えつづけているのは、安倍政権の大失策のゆえにほかならない。

第一に、クルーズ船「ダイヤモンド・プリンセス」の「防疫」と称する〝隔離政策〟。乗員・乗客への感染対策の不備（感染対策に精通した専門家を現場指揮者としていないこと、不潔・清潔の区分けや消毒の不徹底）、全員検査の遅れ・一部乗客への検査もれ、感染者の入院先の手配を自治体任せにしたり無症状者の下船後の移動や生活上の注意のないこと……。これらのゆえに集団感染をもたらしたのだ。

第二に、「国立感染症研究所」頼みの検査態勢の不備。感染の疑いのある患者への検査を遅らせ、そもそも検査をしていない。韓国では一日に約一万三〇〇〇人の検査がおこなわれているのに比して、日本ではＰＣＲ検査（遺伝子検査）は二月下旬の段階で一週間で約六三〇〇件（一日あたり平均で約九〇〇件）と極端に少ない。市中の医療機関において、医師が患者の症状・レントゲン画像などから「コロナウイルス感染を疑う」と診断して保健所に連絡してもなかなか電話がつうじず、つうじても検査を断られるケースが続出。感染疑いの人は、帰国者・接触者相談センター――→帰国者・接触者相談外来（全国八四四ヵ所）――→国立感染研や地方の衛生研究所などでの検査という手続きをとらされる。あるいは、かかりつけ医に受診して、医師が保健所に連絡して（ふるい分けられ）よほど運が良ければ検査が受けられる、という状態であった。三月六日にＰＣＲ検査の保険適用が始まるまで、検査態勢は機能麻痺していた。

〝ウイルス研究は国直轄の専権事項〟という政府と国立感染研の体質、政府の感染拡大への危機感の乏しさは明らかだ。それればかりではない。オリンピック・パラリンピック中止を避けるために「感染人数」を増やしたくないという安倍政権の反人民的な意図が、ここに貫かれているのだ。

重症者・高齢者を切り捨て

失策・愚策を弄する安倍の発想の特徴は、「感染者の隔離」や「国民の行動制限」を行政命令で強制するという〝非常時の国民の行動制限第一〟主義である。自民党改憲案における首相の強権発動への志向と同様である。

これと裏腹に、重症になるような〝弱者〟にたいして手を尽くして治療を施すことの否定である。新型コロナウイルス感染で肺炎になり重症になる人の多くは、高齢者や持病のある人といわれている。一〇～一五%のこの重症者にどのような医療を施すのかに、安倍はなんの関心もない。労働力となる「元気高齢者」以外の高齢者・病人にたいする積極的な治療は〝医療費の無駄遣い〟とみなし、「高齢者は歩かない〔から感染対策は不要〕」と野次った(三月二日参院予算委員会での自民党議員)のが安倍の腹心どもである。「全世代型社会保障」と称する高齢者への社会保障給付の削減・自己負担の増大の策動に貫かれているのが、「優勝劣敗」の社会ダーウィニズムと同様の発想だ。それは、年寄りは「さっさと死ねるようにしてもらいたい」(一六年、副総理・麻生太郎)という暴言いらいこの政権に一貫している。

すでに多くの国立・公立病院が歴代自民党政権によって統廃合され激減させられ、いま日本国内の感染症病床は一八七一床にすぎない(一九七八年には結核病床約一〇万、伝染病床約二万であった)。二〇〇〇年以降にも小泉式「医療構造改革」をはじめとした医療制度改悪により、医師不足・看護師不足・過疎地の病院不足などが深刻化している。この歴代政権がもたらした「医療崩壊」のしわ寄せが、新型ウイルス蔓延のなかでいま労働者・人民にのしかかっているのである。

われわれは、いまこそ安倍日本型ネオ・ファシズム政権打倒へと、突き進むのでなければならない。

新型コロナウイルス肺炎

情報統制・隠蔽に狂奔する習近平

梅林芳樹

湖北省武漢市で発生した新型コロナウイルス肺炎（COVID－19）が中国で猛威をふるい、全世界に感染を広げている。中国政府が発表する国内感染者数や死者の数は、日に日に増加するばかりだ。〔二月一日に感染者七万九八二四人、死者二八七〇人と発表。〕そもそもこの数には、発病しても病院に入院できないでいる人民や自宅で亡くなった人民が含まれていない。救援の手が届いていない農村部の実態も明らかではない。全容はいまだ隠されているのだ。いまだ全土で感染が拡大しているにもかかわらず、習近平指導部は、中国各地の国有企業・民営企業にたいして早期操業再開を命じている。おびただしい人民が、習近平を頭とする中国共産党＝国家官僚による情報統制・情報隠蔽のもとで感染と死を強制されているのである。

病気発生を発表した昨二〇一九年十二月から今年の一月二十日（習近平の「重要指示」）まで何がおきていたのか。武漢市において野生動物を扱う海産物市場の関係者からＳＡＲＳ（重症急性呼吸器症候群）に似た肺炎が発生していることは、昨年十二月八日に市当局が公表していた。二〇〇二〜三年に大流行し中国経済に大打撃を与えたＳＡＲＳ禍、それを経験した中央・地方の党官僚は、みなこの発表に驚き注目したにちがいない。習近平指導部が「中央の許可なしに重要情報を公開してはならない」と地方官僚に命じたのは、重大事態の発生を熟知していたがゆえなのである。〔のちに武漢の市長と湖北省の党書記が、「中央の許可がなかったから発表できなかった」と、習近平指導部の情報統制があったことを暴露した〕。

中央の指示を受けた武漢の党＝市当局・公安は、医療関係者の口封じに狂奔した。ＳＡＲＳと同様の肺炎が発生していることを同僚の医師にＳＮＳ（ソーシャル・ネットワーキング・サービス）で知らせた武漢中心病院の医師・李文亮を、公安が「デマによって公衆に不安を煽った」罪で拘束し処分した〔李文亮は一月十一日に新型肺炎を発症し二月七日に死亡した〕。

一月九日に初の死者が発生した。市場とは無関係の人民や医師らが次々と感染していることは、それ以前に判明していた。にもかかわらず習近平指導部は、「ヒトからヒトへの感染はない」「感染は拡大していない」という虚偽情報を、十八日まで武漢市当局に流させつづけた。そのかん湖北省政府は地方版の人民代表大会「両会」を予定通りに開催（一月十二〜十七日）、十八日には武漢市当局が春節恒例の大宴会を四万世帯人民を集めておこなった。ここで幾十万の人民が感染したことはまちがいない。情報を隠蔽し人民に感染を広げたことは、習近平を頭とする中国ネオ・スターリニスト官僚どもの大犯罪である。

貧弱な医療体制を放置

発熱やひどい咳などに襲われた人民が武漢市の病院に殺到した。病院の待合室や廊下に発病者があふれ、かえって病状が悪化したり感染が拡大したりした。不眠不休で対処に当たった医師や看護師たちじしんが感染し、彼らはみずからに点滴を打ちながら治療に当たったという。一月二十日に習近平が「感染防止に全力を挙げよ」という「重要指示」を発するまで中央政府は、武漢市・湖北省への医療支援とその準備を一切おこなっていなかった。押っ取り刀で始めたプレハブ病院建設を習近平政権は大々的に報じているが、それは彼らが湖北省の人民を見殺しにしてきた責任を回避するための宣伝である。

そもそも人民の健康や公衆衛生などをそっちのけにしていたのがこの政権だ。彼らは一方では先端的医療・生命科学の研究と技術開発を「中国製造２０２５」において重点分野のひとつに指定し、莫大な予算を投じてきた。それを「軍民融合」の名のもとに生物兵器開発と結びつけるかたちですすめてきたのが習近平政権である。だが他方、人民大衆むけの医療は貧弱なままに放置されている。医師・看護師は待遇の劣悪さゆえになり手が少なく、どの病院も医師・看護師不足に悩まされている。設備の充実した数少ない病院に多くの人民が殺到しているがゆえに、党＝政府の官僚や大資本家はこぞって日本など外国の病院に入院しているほどだ。疫病予防の施策も体制もおざなりで、ＳＡＲＳの原因として知られている野生動物が普通の市場でなんの規制もなく扱われている。こうした劣悪な医療・公衆衛生環境を習近平政権が放置してきたことが、新型肺炎蔓延の条件をつくったのである。

武漢市の紅十字会医院で診察を待つ人民（1月25日）

官僚的のりきりを許すな

一月十九日に〝もはや隠蔽できない・情報を一定程度公開するしかない〟と習近平じしんが決断をくだすまでは、党中央＝中央政府が新型肺炎を〝地方のささいな疫病〟として処理しようとしていたことは明らかである。経済建設への悪影響を少なくするとともに国際的権威を護持するために彼らは、情報を徹底的に統制し地方官僚どもには〝大事はおきていない〟かのようにふるまわせていたのだ。

　建国一〇〇年の二〇四九年に「社会主義現代化強国」にのしあがることを戦略目標に掲げる習近平指導部は、共産党創立一〇〇年（二一年）に「小康社会を全面完成する」ことを当面の目標としている。この目標達成の基準と称しているＧＤＰ二〇一〇年比倍増に彼らは政治的威信をかけている。まさにこの当面の目標を実現するために彼らは、米中貿易交渉においてトランプ政権に譲歩し（米国産農畜産物の大量購入を約束）、「貿易交渉第一段階」での合意にこぎつけた（昨一九年十二月十三日）。対米輸出の激減にみまわれている中国経済の建て直しを、習近平政権はなによりも優先している。それゆえに、かつて中国経済に大打撃を与えたＳＡＲＳ事件の再来を、彼らは極力回避しようとしたのだ。

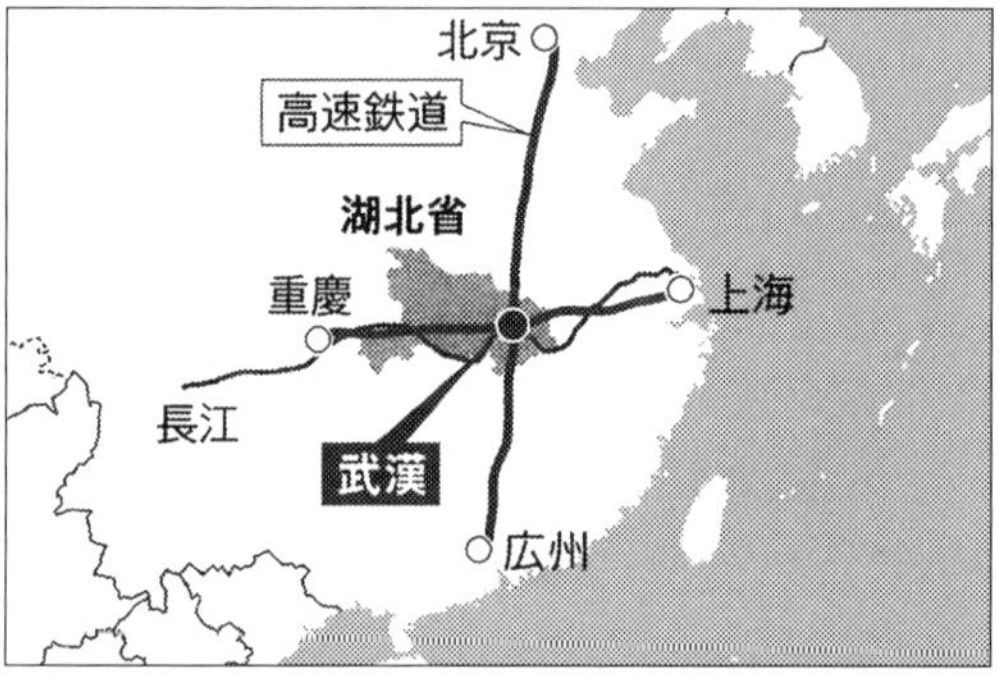

武漢市は中国交通網の要衝であり製造業の心臓部

道路が封鎖され機能不全となった武漢（１月25日）

　加えて、いわゆる「一帯一路沿線諸国」の人民と権力者の中国にたいする反発を回避するために、習近平政権は情報隠蔽を企んだのだ。進出した中国企業による環境破壊や搾取・収奪などに「沿線諸国」人民は反発している。そこに新型肺炎の情報が伝わるならば「一帯一路」構想の実現が脅かされかねないと習近平政権は計算したのだ。

　感染が湖北省あるいは国内にとどまるかぎりは、武漢で何人死のうが隠蔽しとおすことを習近平指導部は企んでいたにちがいない。彼らは新疆ウイグル自治区では一〇〇万人もの人民を収容所にぶちこみ何百・何千もの人民を闇から闇へと葬っている。ネット通信をすべて傍受し支配体制を脅かすとみなした情報をすべて抹殺してもいる。武漢での病死者数を隠蔽することなど朝飯前だと、習近平はタカをくくっていたのである。

その習近平が手のひらを返して「感染防止に全力を挙げろ」と叫びはじめたのは、日本やアメリカなどにも感染者が出て、もはや隠蔽することができなくなった時点で、〝中国は情報を公開し感染対策をとっている〟と国際的にアピールする――政治的統制の効くWHO(世界保健機関)事務局長を利用して――ことが得策だと習近平じしんが決断したのちであった。いま北京官僚は「感染防止は人民戦争」「武漢は勝つ」などという空ぞらしいスローガンを叫び、同時に情報隠蔽の責任をすべて武漢や湖北省の党=政府幹部に押しつけている。医師の口封じに狂奔した武漢市公安当局にたいして党中央が責任追及にものりだした。まさに絵に描いたような官僚主義的のりきり策ではないか。

だが、責任を押しつけられようとしている地方官僚どもが、自己保身に駆られて〝中央の情報統制〟を暴露している。また李文亮医師への弾圧に怒る人民の声が、ネット上の書き込みを削除しきれないほどに広がっている。新型肺炎を蔓延させた責任が習近平じしんにあることは、もはや隠しきれなくなっているのだ。それゆえ習近平じしんが実質的に中央指導部の失敗を認めざるをえなくなっているほどだ。「終身総書記・終身国家主席」の座を手中にして強権的支配を敷いてきた習近平、その権威はいまや地に堕ちたのである。

中共指導部＝中央政府にたいする労働者・人民の怒りが、いまや中国全土に渦巻いている。この怒りの矛先を地方官僚に向けさせようと習近平一派が画策していることへの反発も広がっている。この人民の怒りに乗じて、これまで習近平一派の下にくみしかれ逼塞させられてきた反習近平派が、いまや党中央に情報公開・「言論の自由」を要求するというかたちで習近平の責任追及にのりだしていると推測できる。党内権力闘争が開始されているにちがいない。

習近平を頭とするネオ・スターリニスト官僚どもの犯罪を断固として暴露し弾劾せよ。

（二〇二〇年二月十日）

WHO事務局長を手先とした中国の情報操作

二〇二〇年一月二十日に滞在先の雲南省から「重要指示」を出した習近平がまずやったことは、武漢市当局に責任を転嫁することであった。中国共産党機関紙『人民日報』の国際版『環球時報』の社説（一月二十七日）に「武漢市の初動が遅く、全土にウイルスを広げてしまった」「初戦は負けてしまった」などと、武漢当局への非難を掲載させた。

一月二十二日に、新型コロナウイルス肺炎が「国際的に懸念される公衆衛生の緊急事態」にあたるかどうかを検討するための、WHO（世界保健機関）の専門家による緊急委員会が予定されていた。「緊急事態」宣言が発表されるならば、中国の海外貿易にとって決定的なダメージとなる。このことを恐れた習近平は、「緊急事態」宣言の発表を阻止するために狂奔したのだ。

習近平は一方では、フランス大統領マクロン、ドイツ首相メルケルと新型コロナウイルス肺炎について電話会談し、「緊急事態」宣言を回避するためのオルグをかけた。それとともに、旧知のＷＨＯ事務局長テドロスに圧力をかけたにちがいない（註）。

他方で習近平は、新型コロナウイルス肺炎対策の「実」を諸外国やＷＨＯに示すために「武漢封鎖」に踏みきった（一月二十三日）。なんとしても、ＷＨＯの専門家による緊急会議中に「武漢封鎖」決定の報が間に合うように、異例にも午前二時に武漢市の「封鎖」を発表したのだ（しかし実際の封鎖は午前十時からであった）。

発表から実施まで八時間の猶予があれば、金と手段をもつ者は武漢から脱出できる。その数は数千とも数万ともいわれている。春節を前にして帰郷した人も含めれば武漢市の人口一一〇〇万人のうちの五〇〇万人は武漢を脱出したという（武漢市長の言）。それだけではない。当初の封鎖では自動車による移動は除外されていた。

習近平のこの策動に呼応してテドロスは、二十二日に予定していた「緊急事態」についての判断決定を二十三日に延期した。そのうえで二十三日のＷＨＯ緊急委員会終了後に、記者会見で「中国政府がすでに一連の強力な予防抑制措置をとっている」（「武漢封鎖」のことだ！）と称して「緊急事態」宣言は〝時期尚早〟と結論づけたのだ。テドロスは明らかに中国政府の〝面子〟の保持と〝実利〟の維持に手をかしたのだ（世界各国からの圧力により、三十日に「緊急事態」宣言を発表せざるをえなかったテドロスは、宣言の発表に際して「旅行・貿易の制限を提案しない」と強調した）。

かくして新型コロナウイルスは世界に拡散し、肺炎は蔓延したのだ。

註　ＷＨＯ事務局長テドロスの前職はエチオピア外相。エチオピアには中国から「一帯一路」建設の一環として鉄道の建設などの援助がなされており、習近平とは外相時代からの知り合いといわれる。

Ｉ・Ｋ

〝決裂〟したCOP25

地球温暖化のもとで対立を激化する権力者ども

地球温暖化を原因とする森林火災、巨大台風、海水面上昇などの大災害が、世界各地において人民の生命を奪い生活基盤を破壊している。この地球温暖化の抑制を課題とした国連気候変動枠組み条約第二十五回締約国会議（COP25）が、昨二〇一九年十二月にスペインの首都マドリードで開催された。だがこの会議は、一五年十二月に締結されたパリ協定を〝ヨリ積極的〟に実現すべきと主張するEU諸国や島嶼諸国などにたいして、温室効果ガスを大量に排出している諸国――パリ協定からの脱退を宣言したトランプのアメリカとパリ協定を守ると言いながらも〝後進国の権利〟を主張する中国・インドなど――が対立し、二日間の協議延長にもかかわらず、主要な問題についてなんの合意もできないままに十二月十五日に閉幕した。

温室効果ガス排出削減を全面拒否したトランプ

COP25では次の二つが争点になった。①各国別の温室効果ガス排出量削減の目標について、②パリ協定のもとでの新たな排出権取引制度について、である。

①パリ協定では各国政府が一五年に国連（ＣＯＰ21）に提出した温室効果ガス排出量削減目標を五年ごとにヨリ高い目標に更新するべきと謳われていて、今年十二月のＣＯＰ26が更新された各国別の目標を確認する会議——三〇年までに各国が達成するべき削減目標を決定する——とされている（国別目標の提出期限は今年二月）。これにむけてＥＵは「二〇三〇年には温室効果ガス排出量を一九九〇年比で半減、二〇五〇年にはゼロにする」という目標を発表した。このＥＵ諸国と国土水没の危機に瀕している島嶼諸国の政府が、削減目標の大幅な引き上げを〝各国に強く義務づける〟と明記したＣＯＰ25合意文書案を提案した。

地球温暖化による乾燥で森林大火災のオーストラリア東部

これにたいしてそれぞれの立場から反対したのが、排出量世界第一位の中国、第二位のアメリカ、第三位のインド、第四位のロシア、第五位の日本、そしてブラジルやオーストラリアなどの政府だった。これらの政府は、ＣＯＰ25において新たな排出削減目標を示そうともしなかった。

ＥＵが主導して作成された合意文書案に最も強硬に反対したのが、パリ協定からの脱退を宣言したアメリカ・トランプ政権だった。この政権は、そもそもパリ協定の基本方針——地球温暖化を抑えるために各国が温室効果ガス排出量を大幅に削減するというそれ——そのものに反対している。自国が国際政治場裏で不利になることを回避するためにのみＣＯＰに参加したこの政権は、温室効果ガス排出量の大幅削減が国際的義務とされることに徹底的に反対したのだ。

これに同調したのがオーストラリアのモリソン保守党政権だった。トランプをまねて首相モリソンは、「〔石炭産出国である自国の〕雇用と経済を破壊する削減目標には向き合わない」と公言している。自国では空前の森林火災が温暖化を原因に発生しているにもかかわらず(註1)。

日本の安倍政権も削減目標の引き上げを傲然と先送りにした。環境相・小泉進次郎は「目標を引き上げる気はあるが今は具体的なことはなにも言えない」とうそぶき、石炭火力発電所を十五基も新設していることを居直っているのだ。

中国、インド、ブラジルそして多くの新興・途上諸国の政府は、パリ協定を尊重すると表明しながらも、ヨリ多くの削減義務を先進資本主義国に課すことを要求してEU主導の合意文書案に反対した。こうして反対意見が噴出したことのゆえに、採択された合意文書の表現は、〝できるだけ高い削減目標を提示するよう各国に要請する〟にかえられた。

②インド、ブラジル、マレーシアなどが、排出権取引制度の改変を求めた。従来のそれは後進国の排出量削減を先進国が援助した場合に先進国だけが排出権を獲得してきた。これを不公平と非難するブラジルなどは、自国で実際に排出量を減らした後進国にも排出権を与えよ、と要求した。

中国とインドは、温室効果ガス削減実績をクレジットとして販売できるという京都議定書にのっとるならば自国には大量のクレジットがある、それをパリ協定発効後の自国の排出権として認めよ、と要求した。すなわち、京都議定書の時代に自国内の温室効果ガスの排出を削減してきた「実績」を、そっくり今後の自国の排出削減量に加えさせろ、と要求したのだ。

こうした新興諸国の要求にたいしてEU諸国は——これまで排出権取引制度を利用して国内排出量の削減を一定程度免れてきたみずからを棚に上げて——〝その要求を認めれば温室効果ガスの総排出量が減らない〟と称して反対した。こうした対立のゆえに、新たな排出権取引制度の策定は次のCOP26にもちこされることになった。

このように、パリ協定を〝積極的に実現する〟と諞うEU諸国や島嶼諸国の政府と温室効果ガスを大量に排出している諸国の政府とが対立し、排出量削減にむけての国際的合意がなんら成立しないままにCOP25は閉幕した。

米中の政策転換により破綻したパリ協定

もとよりパリ協定そのものが、四年前の締結時に各国が示した削減目標をすべて達成したとしても今世紀末の気温は産業革命前に比して三〜四度上昇するという内実のものでしかなかった。今世紀末までの気温上昇を一・五度以内に抑えるには各国が四年前に提出した国別削減目標を五倍に引き上げなければならないと国連機関が報告している（註2）。パリ協定にもとづく温室効果ガス削減策は、四年前の締結時においてすでに、深刻化する地球温暖化を防ぎ止めることができないことを露わにしていたのだ。

パリ協定はアメリカ・オバマ前政権と中国・習近平政権との利害の結果的一致の産物であった。だがすでにアメリカでは、オバマ政権時代の環境政策はトランプ政権によって全面的に否定されている。石炭・石油産業の活性化を「偉大なアメリカの復活」施策の目玉商品にしているトランプ政権は、オバマ前政権の石炭火力発電所閉鎖命令を撤回させて再稼働させている。炭鉱地帯などの支持者を固めるためにトランプは「温暖化はフェイクだ」と叫んでいる。国民一人あたりのCO_2排出量が世界一（中国の倍）であり、歴史的にも大気中に蓄積しているCO_2の大半を排出してきた最大の地球温暖化の元凶＝アメリカ帝国主義が、いまトランプのもとで、地球温暖化をさらに加速させているのである。

　中国の習近平政権は、「環境保護」を三大重要スローガン（註3）の一つに掲げ、トランプ政権のパリ協定離脱を非難してはいる。だが米中貿易戦争によって危機に陥っている自国経済を立てなおすための景気対策の一環として、習近平政権は、石炭火力発電所の稼働停止・建設禁止措置の解除、ガソリン車規制の緩和など国内の環境規制の大幅な緩和に踏みだしている。地方政府傘下の国有企業――とりわけ製鉄・アルミニウム・ガラス製造など――は、CO_2を大量に排出する古い生産設備を抱えている。一時期はそうした古い設備の操業を環境汚染対策およびエネルギー資源節約のために中央政府の指示のもとに止めていた中共ネオ・スターリニスト官僚どもは、いまやその稼働率を引き上げてCO_2を大量排出させているのだ。

　こうしてパリ協定締結を主導した米・中が、ともに環境政策を公然と（トランプ政権）あるいは実質的に（習近平政権）転換している。実際、温室効果ガス排出量世界一位と二位の両国が、ともにCO_2排出量を増やしている（註4）。パリ協定は実質的に破綻しているのである。

　排出権取引制度についての新興諸国政府の改革要求は、「環境先進国」を自任するEU諸国政府の欺瞞性を浮き彫りにした。西欧諸国や日本の政府が「自国内の排出量を実質的に削減してきた」とおしだすことができるのは、自国の製造業独占諸資本が生産拠点――CO_2大量排出の工場――を新興諸国・途上諸国に移転してきたがゆえであり、かつ再生可能エネルギー技術や省エネ技術をもつ自国の独占諸資本が途上諸国の排出量削減に寄与したことをもって〝自国の排出量を削減したことにする〟排出権取引制度のおかげなのである。しかも、排出権を金融商品化して金融的取引による収益を得てきたのが欧・米・日の金融業資本家どもだ。

大量生産・大量消費・大量廃棄を全地球規模でくりひろげてきた米・欧・日の独占資本。彼らはいまや、温暖化対策を延命のネタに利用しようとしているのである。こうした自国独占諸資本の利害を貫徹するためにパリ協定の〝積極的〟な実現と新たな排出権取引制度の実施を求めているのが「環境先進国」ＥＵ諸国の政府である。

「温暖化を止めろ」を掲げて全世界でデモがくりひろげられている。だがこのデモは、総じてパリ協定の〝積極的実現〟を掲げるＥＵ諸国政府を尻押しするものに収斂されている。いまこそ全世界の労働者・人民は、自称「環境先進国」の偽善性・階級性を見ぬくべきである。「そもそも、現代の物質文明・文化のブルジョア階級的本質を不問に付して、生態系・地球環境の保全などを喋々することそれ自体が、まさに時代錯誤ではないのか」（黒田寛一『現代における平和と革命』「改版あとがき」こぶし書房刊、二九六頁）。

地球環境を破壊している帝国主義諸国・独占諸資本と「市場社会主義国」中国とにたいして、いまこそ全世界の労働者階級・人民の闘いが組織されなければならない。

註1　オーストラリアでは、昨年十二月十八日の最高気温の全国平均が四一・九度となるほどの猛暑と異常乾燥のゆえに大火災が発生し、日本の面積の約三分の一にあたる一万二〇〇〇平方キロメートルの山林が焼失した。

註2　国連環境計画（ＵＮＥＰ）が昨年十一月に発表した「温室効果ガス排出ギャップレポート」より。

註3　「金融リスク解消、貧困脱却、環境破壊防止」を経済建設の「三大堅塁攻略戦」と称している。

註4　二〇一七年と一八年の二年間、全世界のCO_2排出量が増大している。一八年、トランプ政権下のアメリカは排出量を前年比三・一％増やし、中国が同二・五％、インドが同四・八％も増やした。

Ｓ・Ｔ

日共の綱領改定──国家独占資本主義への跪拝

木本泰次

日共の不破＝志位指導部は、二〇二〇年一月十四日から開催する第二十八回党大会において党綱領の改定を議決しようとしている。

「このまま推移すれば支部活動が困難に陥ってしまう状況が広がっている」とか、『しんぶん赤旗』の発行そのものができなくなる危機に直面している」とかと代々木官僚じしんが大会議案で吐露せざるをえないような党組織の崩壊状況ののりきりをかけて、不破＝志位指導部は、「党創立一〇〇周年（二〇二二年）まで」に「野党連合政権」を樹立するというシンボルを掲げて党員たちを「党勢拡大」に駆りたてている。「野党連合政権」構想への合意を立憲民主党と国民民主党から得るためにも、日共の党勢後退を挽回し票田を開拓するためにも、〝日本共産党が政権についたら中国のような「社会主義」をめざすのではないか〟という保守層の「誤解、偏見」を取り除かねばならないと思いこんだ代々木官僚は、中国を「社会主義をめざす新しい探究が開始された国」とみなす規定の党綱領からの全面削除に踏みきった。この綱領改定によって代々木官僚は、思想的・イデオロギー的なブルジョア的変節を一挙に昂進させているのだ。

わが革命的左翼は、＜改憲阻止・中東派兵阻止・日米新軍事同盟強化反対＞の闘いをはじめとする諸闘争を推進するただなかで、日共の改定綱領の反プロレタリア性を満天下に暴きだすイデオロギー闘争を展開するのでなければならない。

（開催された党大会の諸特徴については、五九頁の「組織的・思想的崩落を露わにした日共第二十八回党大会」を参照。）

一　綱領改変の核心は何か

不破＝志位指導部は現行綱領のどこをどのように改変しようとしているのか。その主要点は以下の通り。（以下、断りなき引用は「綱領一部改定案」、委員長・志位和夫の「綱領一部改定案についての提案報告」、「第一、第二決議案」、志位の八中総「結語」などより。）

①現行綱領第三章（世界情勢論）の大幅な書き換え――核心的には、次の規定を全面削除する。「今日、重要なことは、資本主義から離脱したいくつかの国ぐに〔中国、ベトナム、キューバ〕で、……『市場経済を通じて社会主義へ』という取り組みなど、社会主義をめざす新しい探究が開始され、……二一世紀の世界史の重要な流れの一つとなろうとしている。」すなわち、中国を「社会主義をめざす新しい探究が開始されている国」と規定してきたことを完全に否定する。

②「世界の構造変化と二一世紀の世界の新しい特徴」として、第三章に新たな規定を書き加える――「一握りの大国が世界政治を思いのまま動かしていた時代は終わり、世界のすべての国ぐにが、対等・平等の資格で、世界政治の主人公になる新しい時代が開かれつつある。諸政府とともに市民社会が、国際政治の構成員として大きな役割を果たしていることは、新しい特徴である。」

③第五章において未来社会論にかんする新たな「命題」をうちだす――「発達した資本主義国での

社会変革は、社会主義・共産主義への大道である。」

「この変革は、生産手段の社会化を土台に、資本主義のもとでつくりだされた高度な生産力、経済を社会的に規制・管理するしくみ、国民の生活と権利を守るルール、自由と民主主義の諸制度と国民のたたかいの歴史的経験、人間の豊かな個性などの成果〔五つの要素〕を、継承し発展させることによって、実現される。」（傍点は引用者、以下同）

(1)「中国＝社会主義をめざす国」規定の全面削除

代々木官僚は綱領改定案において、中国を「世界史の重要な流れ」をつくっている「社会主義をめざす国」と規定してきた部分を綱領から削除し、「世界の平和と進歩への逆流」となった「大国主義・覇権主義」の「大国」だと烙印している。こうした百八十度逆の中国評価に転じた理由を、日共を「中国共産党・中国政府と同一視」する「誤解、偏見」をとりのぞくためだ、と志位は力説する。

中国式の「市場経済から社会主義へ」が「世界史の流れ」だと謳った規定こそ、二〇〇四年に当時の日共議長・不破哲三が主導した綱領全面改定の核心のひとつであって、代々木官僚がこの部分を全面削除せざるをえなくなったことは〝不破綱領〟の破産を自認した以外のなにものでもない。

志位は言う――「〇四年の綱領改定時には合理的根拠のある規定だった」が、「核兵器禁止条約への敵対」「東シナ海・南シナ海での覇権主義的行動」「香港・ウイグルでの人権抑圧」など「この三年間」の中国の行動にてらして、「社会主義をめざす国」と判断する根拠はなくなった、と。愚にもつかぬ言い訳をならべるのはやめよ。いうまでもなく〇四年以前から北京官僚政府は核軍事力の増強やウイグル族・チベット族にたいする強権的弾圧に手を染めてきた。この中国権力者の犯罪から目を背けてきたのが代々木官僚であり、中国を「社会主義をめざす発展の安定的な軌道に乗っている」（『21世紀の世界と社会主義』新日本出版社、〇六年三月刊）などと称えてきたのが〝老害党首〟不破哲三だったのだ。

わが同盟は、反スターリン主義革命的左翼の矜持にかけて、中国の核軍事力増強の反人民性を突きだし〈米―中・露の核戦力強化競争反対〉の闘いを推進するとともに、中国ネオ・スターリン主義官僚専制支配の反人民性と「社会主義市場経済」なるものの反マルクス主義性を断固として暴きだしてきた。これを基礎として、中国を「社会主義をめざす国」などと美化する代々木官僚にたいする批判の十字砲火をあびせてきた。わがイデオロギー闘争に感化された多くの日共党員たちが〇四年の綱領改定に際して巻き起こした〝中国は社会主義をめざす国とはいえない〟という中央官僚批判の嵐に震えあがり、これの封殺に狂奔してきたのが不破＝志位指導部なのだ。今回の綱領改定案にたいして、当然にも〝〇四年に「社会主義をめざす国」と規定したこと自体が誤りだったと総括せよ〟との批判が日共党内から噴出している（その一端が『しんぶん赤旗』党活動のページ臨時号「議案への感想・意見・提案」に露出している）。

代々木官僚が中国政府・共産党からみずからを区別だてするためにあてがっている「社会主義をめざす国」といいうるか否かの基準は、「核兵器のない世界」をめざしているかどうかという安保・外交政策の内容や「社会主義の事業に対する真剣さ、誠実さ」という道徳的姿勢のようなものであり、政治主義的なものでしかない。

彼らは核心問題であるはずの「社会主義市場経済」を標榜する中国の政治経済体制への評価をくだすことから逃げまわっている。「市場経済を通じて社会主義へ」は「中国の路線とわれわれのめざす路線との共通点」などと、不破その人が謳いつづけてきた(『党綱領の力点』日本共産党中央委員会出版局、一四年一月刊)ことに触れられたくない、という官僚的自己保身をはたらかせているのだ。中国を「社会主義をめざす国」と判断する根拠がなくなったと断罪したとしても、「市場経済を通じて社会主義へ」という〝路線〟――「市場経済の調節的役割」は「別のものによっては代えがたい」のであり「実現されるであろう社会主義も発達した市場経済を基盤としたものとなる」(不破)というそれ――を代々木官僚は護持している。これこそが、中国式「市場社会主義」への批判を代々木官僚が一言も口にしない根拠なのだ。

(2) 「市民社会」を主役に奉る「二一世紀の世界論」

綱領の世界情勢論から「社会主義をめざす新たな探究」規定を全面削除したことは、「社会主義をめざす体制と資本主義の体制、二つの体制の共存の……新しい段階」(不破『21世紀の世界と社会主義』)という時代認識、すなわち「発達した資本主義諸国での人民の運動」と「社会主義への道を探究する国ぐに」と「途上国における人民の運動」の「三つの流れから社会主義をめざす流れが成長し発展する」という現行綱領につらぬかれていた「世界的展望」を最後的に清算したことを意味する。

これに代えて代々木官僚は、二十世紀における「世界の構造的変化」の核心は「植民地体制の崩壊」だと「二〇世紀論」を描き直すことを踏み台として、「世界のすべての国ぐにと市民社会」が「国際政治の主役」になったことが二十一世紀の「新しい特徴」だとおしだしている。

諸国家権力者とならべて「主役」におしたてられた「市民社会」とは何か？　志位いわく、『「市民の運動』より広い意味をもつ用語」であり「国連の諸活動に自発的にかかわる個人と団体を包括した概念」だ、と。具体的には、「核兵器禁止条約」など様ざまな国連主催の会議に参加する「非政府組織（ＮＧＯ）」（や国会議員などの個人）を指すとされる。アメリカと中国・ロシアという「大国」以外の諸国家の権力者とＮＧＯに国際政治における変革の力を求めたとしても、それらは国連を舞台とした権力者間の政治的駆け引きの補完物でしかない。いかに多数の国家権力者とＮＧＯが「核兵器禁止条約」に賛同したとしても、現実には米―中・露の核戦力強化競争がますます新たな次元で激化しているではないか。核戦力・ハイテク宇宙軍拡競争にしのぎを削る米と中・露との角逐を断ち切りうる主体的力は、現代歴史の主体たるべき全世界プロレタリアートの国境を超えた団結にこそあるのである。

「市民社会」の持ち上げと同様に、国連総会で採択された「持続可能な開発目標」（ＳＤＧｓ）で中心課題にあげられていることをもって、代々木官僚は「ジェンダー平等を求める国際的潮流」を「人類の歴史的進歩」の象徴として綱領改定案第三章に新たに書きこんでいる。第四章の「民主的改革」にも「ジェンダー平等社会をつくる」という代案を加え、これを「世界の平和と進歩の全体にとって大きな柱にすえるべき課題」と位置づけている。国際的に一定の拡がりをみせた「性暴力」に抗議する「＃ＭｅＴｏｏ」運動など「ジェンダー平等を求める潮流」を持ちあげ、これにのっかれば新たな支持層・票田を獲得できるのではないか、という虫のいい願望をふくらませているのが代々木官僚なのだ。

⑶「資本主義の成果の継承・発展」の自己目的化

「社会主義的変革」は「発達した資本主義の成果」の「継承・発展」によって実現されるなどという「命題」は修正資本主義者の寝言でしかない。

代々木官僚は、一方ではロシア革命も中国革命も

「資本主義の発展が遅れた国からの出発という歴史的制約」があったから「自由と民主主義」のない「一党制」の国になった、などと断定する。他方で「高度に発達した資本主義国」である日本では「未来社会」に「継承・発展」するべき成果が「豊かに花開く」条件ができあがっている、と志位は吹聴する。「日本経済は、現在の社会的生産の発展の規模と水準ですでに、『健康で文化的な最低限度の生活』を国民のすべてに保障できるだけの経済力を持っている」などと不破は誇る（『党綱領の力点』）。

「日本の経済力」によって豊かな「未来社会」が開かれるだと?! ＡＩ（人工知能）などを駆使した新たな合理化によって大量の労働者が労働現場から放逐され、残った労働者にはロボットの付属品として奇形的な労働が、超長時間労働と労働強度の極限的増進が強いられている。非正規雇用労働者が全労働者の約四割に達し、労働者の実質賃金は下がりつづけている。こうした過酷な現実が安倍政権と独占資本家どもによって労働者に強要されることによってのみ、「日本の経済力」はなりたっているのだ。これを「合理的に活用」すれば「未来社会」が開かれるなどとほざく代々木官僚は、――たとえ「格差是正」の代案を売り物にしているとしても――苦悩する日本の労働者の現実から浮きあがりきっているのである。

⑴「資本主義のもとでつくりだされた高度な生産力を〔未来社会に〕そっくり引き継ぐ」などと志位は平然とほざく。資本の直接的生産過程において成立する生産力は、この過程の主体的契機としての統合労働体も客体的契機としての生産諸手段も資本の定有であるがゆえに、つねに必ず「資本の生産力」としてあらわれる。代々木官僚が、この生産力そのものに刻印される資本制的という規定性を没却し、超歴史的にとらえていることが、彼らの右のような言辞に如実にしめされている。資本の直接的生産過程のマルクス的把握を欠落させ、生産力そのものの資本制的性格を没却し・歴史貫通的なものとして考える――こうした捉え方こそスターリン主義者に特有の誤謬なのである。

「資本の生産力」の増大としてあらわれる労働の

生産性の向上は、「本質的には開発された新しい生産技術を直接的生産過程……に導入することを物質的基礎として実現される……のであるが、このことは同時に、生産過程の主体的契機そのものの技術化あるいは非合理的合理化をともなうのであって、この資本の技術的構成の高度化は労働者にとっては搾取の強化をもたらすのである」（黒田寛一『革新の幻想』こぶし書房刊、二八二頁）。自己の労働力を商品として販売しなければ生きてゆけない労働者、すなわち商品にまで物化された賃労働者が「生産性向上」に駆りたてられ資本家による強搾取に呻吟させられている現実は、転向スターリニスト官僚の眼中にはまったく入らないのだ。

(2)「日本では、戦後七十年余にわたって、国民主権、基本的人権、議会制民主主義が、発展させられてきた」（志位）とはよくぞ言ったものだ。安倍政権下でNSC（国家安全保障会議）専制というべき強権的な支配体制が強化され、立法府は行政府のとる政策の追認機関と化している。労働組合・学生自治会を破壊する弾圧が吹き荒れている。こうした労働者・人民にたいするファシズム的攻撃への一片の怒りもないのが代々木官僚なのだ。現存の日本の政治支配体制がそのまま「未来社会の土台」となるかのようにほざくのは、日本型ネオ・ファシズム支配体制の安全弁になりさがった徒輩にふさわしい戯れ言ではないか。

代々木官僚が「未来社会」に継承し発展させるべきものとして賛美する「自由と民主主義」とは何か？

「自由」――「労働市場……における、労働力商品の販売者としての賃労働者と貨幣商品の所有者としての資本家との等価交換の関係――これが資本主義社会における『自由・平等』の物質的＝経済的基礎である。」「生産のたえざる実現をつうじて、前提としての労働市場における『自由・平等』の関係が実は階級関係にほかならず、生産過程における資本関係の社会的直接性におけるあらわれであることが暴露される。」（黒田寛一『賃金論入門』こぶし書房刊、九頁）、「一方では生産諸手段の資本としての集中、他方では生産諸手段から自由となった労働力商品販売者たちの賃労働としての集中。――これが社会的直接性においては、資本家階級と労働者階級との……階級対立として、さらに階級闘争としてあらわれる。」（同一〇頁）

「民主主義」――「資本主義時代の国家は、政治的には主権が国民にあることをうたい、民主制または共和制という支配形態をとる、ということが民主主義の証しであると称されています。けれども、被支配階級としてのプロレタリアの立場からするならば、そのような制度はブルジョア民主主義いがいの何ものでもありません。なぜなら、いわゆる民主主義は階級分裂を没却して国民のすべてを『一票』とみなしたうえで、量的多数を原理にしているからなのです。」（黒田寛一『社会の弁証法』こぶし書房刊、二九〇頁）

こうした「自由と民主主義」の階級性を無視し「未来社会」に継承すると代々木官僚がほざくのは、彼らがプロレタリアの立場に立つこと自体を放棄し階級闘争を投げ捨てているからなのだといわなければならない。

⑶「資本主義のもとで達成した到達点」としての「人間の豊かな個性」なるものを代々木官僚は賛美する。ブルジョア的市民の〝個立〟主義（アトミズム）を全面肯定しているだけではない。スマートフォン・電脳・IoT（モノのインターネット）機器が氾濫する現代技術文明のもとで電子情報の物神崇拝に

もとづく精神的疎外が極限的に深まっていること、この「人間の滅び」というべき資本主義的疎外の深刻さを、代々木官僚はなにひとつ感じることすらできないのだ。

要するに、代々木官僚は、日本国家独占資本主義に跪拝しているのである。国家独占資本主義とよばれている現代帝国主義の政治経済構造は、ブルジョア国家の政府がうちだすところの経済政策をはじめとする諸政策に媒介されたそれであって、――歴史的には、革命ロシアの出現およびそのスターリン主義的変質を外的条件とし、一九二九年恐慌の独占資本家的のりきり＝管理通貨制への移行を内的条件として形成された――帝国主義段階における資本主義の政治経済的諸矛盾の現代的に特殊的な解決形態をなす。この国家独占資本主義のなかに未来社会の「要素」をみいだし・その「発展」を謳っているのが代々木官僚なのであって、彼らが描く「資本主義のもとでの成果が全面的に花開く未来社会」などという青写真は、反プロレタリア的な〝資本制商品経済の永続化論〟いがいの何ものでもないのである。

(4)　マルクスを冒瀆するニセ「未来社会論」

「生産手段の社会化を土台に」するという条件を付していることをもって、「資本主義の成果」の「継承・発展」が「社会主義的変革」であるかのように代々木官僚は論じているのであるが、そもそも従来から綱領に規定されている「主要な生産手段の所有・管理・運営を社会の手に移す生産手段の社会化」とはいかなる所有形態を指すのか、曖昧にされたままだ。不破は、かつての「ソ連型の官僚主役の『国有化』」とは違うと言いながら、「社会化」された形態として「国有企業」（不破は中国の「聯想集団」＝レノボを「資本主義に対抗する競争力をもった国有企業」の成功例にあげてきた）や「協同組合企業」（十九世紀のイギリスでつくられたそれを例にあげる）を口にし、これらを「社会主義部門」と呼ぶ。「資本主義部門」との「市場での競争」をつうじて「社会主義部門」を拡大していくことが社会主義への道というわけなのだ。だが、資本主義的生産関係をそのままにして「社会主義部門」と称される企業が市場において民間資本の企業と業績を争うということは、生産性向上の競い合い＝労働者からの搾取の競い合い以外の何ものでもない。

しかも綱領では「生産手段の社会化」は「情勢と条件に応じて多様な形態をとりうるもの」というように意図的に〝穴〟があけられている。株式会社で社員が自社株を所有し経営に参画すること（従業員持株制度）をも「社会化」の一形態とみなすことを、代々木官僚はたくらんでいるにちがいない（註1）。いずれにしても代々木官僚の言う「生産手段の社会化」とは、ブルジョア国家権力を打倒して樹立される労働者国家のもとへの生産手段の集中――それは社会主義への過渡的な物質的基礎の形成である――とはまったく無縁な、実際には資本主義の枠内で「社会主義部門」という名の〝多様な経営形態の企業〟を発展させるということの言い換えにすぎないのである。

付言するならば、代々木官僚のめざす「未来社会」の内実は〈生産労働にあてる時間＝「必然性の国」にたいする自由に使える余暇の時間＝「自由の国」を拡大する〉というものでしかない〔こうした観点からAIの生産過程への導入を美化する―註2〕。不破は「階級社会では、労働者階級は、『自由の国』をわずかしかもてない」が「未来社会」では「みんなが豊かに持てるようになる」などとほざく（「『資本論』編集の歴史から見た新版の意義」『前衛』一九年十一月号）。マルクスが共産主義社会のイデーとして語っているところの「自己目的として認められる人間の力の発展」が保障される「自由の国」（『資本論』第三巻第七篇第四十八章）を、階級社会における「余暇」と同一の「自由時間」にすりかえているのだ（註3）。

商品経済的物化とプロレタリアの労働疎外を根底的にくつがえし根源的な「種属生活」――共同体的人間の生産活動の自己意識性＝技術性をその本質とする――を奪還するために、現存ブルジョア国家の打倒を結節点として資本制生産様式を根底的に止揚すること、これを抜きにして「余暇」を拡大することの「地続き」に「未来社会」がつくられるかのように吹聴しているのが不破なのである。こうした偽物の「未来社会論」をあたかもマルクスが『資本論』で提示したものであるかのように見せかけ、マルクスを冒瀆する修正資本主義者を断じて許すな！

もとより、「市場経済を通じて社会主義に進む」ことが「日本の条件にかなった社会主義の法則的な発展方向」であり「資本主義時代の価値ある成果のすべてが、受けつがれ、いっそう発展させられる」と明記されたのが〇四年に策定された〝不破綱領〟であった。それこそは、「資本主義の枠内での民主的改革」よりも先に「なにか革命としてやるべき課題があるわけではない」(不破)と称してスターリニスト的な革命すら完全に放棄し、「よりましな資本主義への改良」を未来永劫の目標とする修正資本主義の路線を明示した∧アンチ革命∨の宣言にほかならない、とわが同盟は暴きだしてきた(註4)。

いまや「発達した資本主義の成果」を「継承し発展させること」こそが「社会主義・共産主義」の「大道」(正しい道)だと綱領上で公然と宣言したのが代々木官僚なのだ。ブルジョアジー独裁を本質とする国家権力を打倒するプロレタリア革命を全面否定し、ブルジョア国家のたんなる政権交代とこの政府による「経済のマクロ・コントロール」をつうじて「資本主義の成果」を「継承・発展」させることに「社会変革」の一切を収れんする——まさに真正の修正資本主義の綱領を完成させたのが不破＝志位指導部なのである。価値法則の揚棄・労働力商品化の廃絶を根幹としたマルクスのイデーを真っ向から否定する転向スターリニスト官僚を満腔の怒りを込めて弾劾せよ！

二　「野党連合政権」の白昼夢と崩落する党組織

(1)　保守層への抱きつき

代々木官僚が綱領改定に踏みきった現実的背景は、次のような〝内憂外患〟に苛まれていることにある。立憲民主党と国民民主党（さらに社民党）が一つの政党へ合併せんとしているなかで、もしも総選挙で野党が多数を制するならば樹立されるであろう政権から日共が一人だけはじき飛ばされることを、代々木官僚は怖れている。このゆえに、「安倍政権を倒し政権を代える」ことでは立民・国民民主両党の執行部と合意できても日共を含めた「野党連合政権」構想には首肯してもらえないという状況をこじあけることに必死になっている。「共産党は健全な保守」(中島岳志)とか「共産党は日本の〝保守本流〟」(内田樹)とかの保守的リベラリストの言に飛びついて、みずからを立民・国民民主ら保守政党と「同じスタンス」に立っていると売りこむことに躍起になっているのだ。

このかんの国政選挙で日共は軒並み大敗を喫し、獲得票数と議席を激減させてきた。一九年七月の参議院選挙では一六年参院選の比例代表六〇一万票から四四八万票に減、一七年十月の衆議院選挙では一四年衆院選の六〇六万票から四四〇万票に減、というように。党勢においても、前回大会(一七年一月)以降、昨一九年九月の七中総までの二年半のあいだに党員が二万人減、『しんぶん赤旗』読者数は日刊紙と日曜版を合わせて一四万三〇〇〇部減らし、一〇〇万部を割りこんだ(日刊紙は党員数約二八万より少ない)。

不破＝志位指導部は、「この四年間で『共産党を除く』の壁はなくなった、前進の条件はできている」と叫んで党員の尻を叩き「党勢拡大大運動」に駆りたてている。だが、一三〜一四年の国政選挙で十五年ぶりに議席が増えたことをもって「第三の躍進」と謳った直後から党勢も議席も激減したのは何故なのかを総括することなく、ただただ党員数と『しんぶん赤旗』読者数を前回大会水準に回復するというノルマをおしつけることによっては、党員たちが奮起できるはずがない。七中総以後四ヵ月間の「大運動」をつうじて、『しんぶん赤旗』の「前進」は目標の十数分の一たらず、党員の実数はほとんど増やせないというありさまであった。

「前進の条件」は整っているはずなのに党勢は後退しつづけ、「桜を見る会」問題を契機にして安倍政権の支持率が急降下しているもとでも日共の政党支持率がまったく上がらないのは、香港人民の「五大要求」を掲げたデモを暴力的に弾圧し・新疆ウイグル自治区では強制収容所をつくり〝中国版民族浄化〟というべき政策をとっている中国の政府・共産党と日共が同一視されているからだ、保守層が抱いているこの「誤解」を払拭しさえすれば党勢後退から前進に転じることができるはず……などと浅はかにも考えているのが不破＝志位指導部なのだ。

アメリカではサンダースら「民主社会主義」を標榜する勢力が青年層から支持され、気候変動問題での大規模デモや「#ＭｅＴｏｏ」運動などが世界的に拡がっている。これらの潮流にのっかれば新たな票田を開拓できるのではないか、と皮算用をはたらかせた代々木官僚は、「ジェンダー平等の実現」をことさらに前面におしだしている。ここに、「左派ポピュリズム」と称される潮流（アメリカのサンダース、ギリシャのシリザ、スペインのポデモスなど）を〝理論的〟に基礎づけている〈階級〉の観点を捨てさったイデオロギー――〈「少数者の支配」に対抗して、労働者、移民、女性、ＬＧＢＴ（Lesbian, Gay, Bisexual, Transgender の略）など多様な集団の要求を「等価」のものとみなして一つに結びつける〉というそれ――の密輸入を代々木官僚がこころみていることが示されているといえる（註５）。

⑵　加速する党組織の溶解

今党大会に向けて、日共党組織の崩壊的現状への危機感に満ちた訴えが全国の支部から中央に寄せられてきた（註６）。不破＝志位指導部じしんが「党づくりの危機的状況」を吐露し、「党建設で後退から前進に転じる」ための指針として今大会議案では「党建設」を課題にした「第二決議案」を「政治方針」の「第一決議案」と区別して提起している。だが彼らがうちだしている「党建設」の指針たるや、「党建設の方針は、第二十二回党大会決定から第二十七回党大会決定で、その基本は明らかにされている」と称して従来の方針を枠的に確認し、あとは「客観的条件に大きな変化が生まれた」「前進に転じる歴史的情勢」だ、と発破をかける、というしろものでしかない。

今回の「党勢拡大大運動」が惨憺たる結果であったにもかかわらず、不破＝志位指導部はこの大破産の総括もしないままに、第二十八回党大会において「党創立一〇〇周年(二二年七月)までに党員と『しんぶん赤旗』読者の一三〇%増」を実現せよ、などというさらなる数値目標を党員におしつけようとしている。次の国政選挙に向けては「八五〇万票以上」〔倍増〕の「政治目標」をやりぬけ、などという方針を決議しようとしている。こうした党組織を集票マシーンとしてしか考えていないことをむきだしにした代々木官僚の「指導」にたいして、「あまりにも非現実的な目標だ」「中央は支部の実情をわかっていない」という、疲弊しきった党員たちの怨嗟の声が充満しているのだ。

「政権の一員としては自衛隊＝合憲の憲法解釈をとる」とか「急迫不正の侵害にたいしては安保条約第五条にもとづいて〔日米共同作戦で〕対処する」とかと公言する代々木中央を壊滅的に批判したわが同盟のイデオロギー闘争に感化された左翼的な党員たちが、不破＝志位指導部に反逆している。他方、「市民と野党の共同」という名で他党候補者の選挙活動を担うことに心地よさを覚えた党員たちが日共的党派性を完全に溶解させている。このゆえに、「党勢拡大」に主体的にとりくむ党員などほとんどいない（書記局長・小池晃じしんが、「立ち上がっているのは支部の約一割」だけと嘆いている始末だ）。それどころか、「議案への感想・意見・提案」において「党名変更」を公然と要求する党員が続出するありさまなのだ。

日共第二十八回大会は、党勢挽回の方途を中共との区別だてと保守層への抱きつきと党員に過大なノルマを課すことに求めているにすぎないがゆえに、日共党組織の瓦解を一挙に加速する結節点になるであろう。

三　反プロレタリア的な真正修正資本主義路線

綱領改定によって明示された現時点の日共の基本

路線は、われわれの革命理論の観点から捉えかえすならば以下のようなものである。

(a) 戦略・理念

綱領第四章にただ一ヵ所だけ「民主主義革命」の語が残されているが、その内実は「民主連合政府」のもとで「資本主義の枠内で可能な民主的改革」を進めることにすぎない。「国民多数の合意」のもとで「社会主義的改革の道を進む」とされるが、それは「発達した資本主義のもとでつくりだされた成果」を「継承・発展させることによって実現する」と明示されたのであって、そのじつは国家独占資本主義の改良を積み重ねるということの謂いでしかないのである。――ブルジョア国家権力の打倒・ブルジョアジー独裁の転覆という結節点＝プロレタリア革命を完全に否定。価値法則の止揚・労働力商品化の廃絶というマルクス主義の社会主義理念を完全に蒸発させて資本主義の改良を自己目的化。要するに、革命戦略と呼べるようなものはもはやないのである。

(b) 主体の組織化

「野党連合政権」の樹立をめざして「市民と野党の共闘」(イデオロギー的側面から言えば「保守層との共同」)を発展させる。「野党連合政権」構想について代々木官僚は、「戦争法廃止の国民連合政権」構想(一五年)を提起したときにはおしだしていた「さしあたって一致できる目標の範囲での統一戦線の政府」という基礎づけを意図的にしていない。このことは、「野党連合政権」を実質的に「民主連合政府」と等置しようとしていることを意味する。――「民主勢力の統一」の〝リベラル保守の結集〟へのすりかえ。

「統一戦線」にかんする現行綱領の一般的規定(註7)には手を触れていないが、現時点のイデオロギー的基礎づけにおいては「多様性の中の統一」「個人の尊厳の尊重」という理念がおしだされている。政治的には、安保・自衛隊政策などの基本政策上の「不一致点」を棚上げにして保守諸勢力と共闘することを「多様性」の名で正当化。主体の組織化の観点からするならば、統一戦線における労働者階級のヘゲモニーを全的に否定し、もっぱら「市民」＝「自立した個人」なるものを〝変革主体〟としておしだす。――ブルジョア・アトミズムの前面化。みずからの階級的特殊利害の実現が同時に人間の人間的解放の実現となる、かかる世界史的使命をになう歴史創造の主体たる労働者階級の階級的自己組織化、この現代革命の核心問題への敵対（註8）。

（c）戦術・闘争形態

「緊急の政治課題」をめぐる「市民と野党の共闘」の発展を自己目的的に追求するとともに、「日本の政治の二つのゆがみ」＝「アメリカいいなり」と「財界中心」をただす「根本的改革の展望」を日共独自の基本的代案として提示し現存政府に対置する。

当面する諸課題をめぐる大衆運動を、日共（野党共闘）が院内で展開する政治的駆け引きの尻押し部隊として機能させるとともに、選挙向けの票田開拓に収れんする。これらをつうじて議会での日共の躍進と「野党共闘」による多数派の形成をめざす。――徹頭徹尾の議会主義・選挙第一主義。大衆運動の担い手の意識水準を高めることの欠如。

（d）当面の運動路線

「国政転換」路線：「野党はもとより広範な市民、保守的な立場の人たちも含めて一致しうる内容」としてうちだした「三つの方向」（①立憲主義、②格差是正、③多様性の尊重）を掲げて、「安倍政治からの転換」をはかる。――国民民主党代表・玉木雄一郎ですらただちに同意したほどの、「健全な保守」的改革というべきもの。とりわけ没階級的な「個人の尊厳・多様性の尊重」を「連合政権の理念」として強調。

平和運動：他の野党と一致できる「安倍改憲反対」「辺野古新基地建設阻止」はおしだすが、「不一致点」である「安保廃棄」は運動場面で掲げないことを下部党員に強制。政府がとるべき外交政策の代案（「北東アジア平和協力構想」や「核兵器禁止条約の批准」など）を提起し、その採用を迫る圧力手段として平和運動を組織化する。――「反安保」の完全放棄。小ブルジョア平和主義。

労働運動‥大会議案では、労働組合運動をいかに推進するべきか、労働組合をいかに強化するべきかの指針はただの一言も論じられておらず、あからさまに軽視。労組は票集めのために利用する対象として位置づけられているにすぎない。

代々木共産党・不破＝志位指導部は、まさに国家独占資本主義に跪拝しプロレタリア階級闘争に敵対するアンチ革命の徒党としての腐れきった姿を露わにしている。わが革命的左翼の一翼を担いたたかっている労働者・学生諸君！　いまこそこの転向スターリン主義官僚を階級的憤怒を込めて弾劾し、代々木共産党を革命的に解体・止揚するイデオロギー的＝組織的闘いを断固として推進せよ。不破＝志位指導部のくびきから日共党員、労組・大衆団体活動家を解き放ち、〈反帝国主義・反スターリン主義〉の旗のもとにどしどしと獲得しようではないか！

註1　「ＩＢＭ買収という壮挙をやった」と不破が絶賛した「聯想集団」は、一九八四年に国有企業「中国科学院計算所」として設立され、八九年に「聯想集団」に経営形態を転換、九四年に中国科学院から三五％の株式を譲渡され従業員持株制度を導入した。株主となった従業員は配当を得ると同時に経営方針への提案をもおこなえるとされる。不破は、内心ではこれを「生産者が主役」の「生産手段の社会化」のモデルと考えているにちがいない。

註2　「未来社会では、労働力の負担を軽くする人工知能の活用は、社会にとって悩みの種になるどころか、労働時間の短縮をさらに進行させ、自由な時間を拡大するものとして、社会のあらゆる方面から大歓迎される快事となるでしょう。」（不破『「資本論」のなかの未来社会論』新日本出版社一九年三月刊、九〇頁）

註3　不破『「資本論」刊行一五〇年に寄せて』（日共中央委出版局一七年九月刊）、『「自由の国」とは」の項を見よ。

註4　『革マル派　五十年の軌跡』（ＫＫ書房刊）第四巻所収の葉室真郷論文、本誌第二〇八号の「特集・日共改定綱領の総批判」を参照。

註5　「従来の左派が……『階級』を本質と理解する『階級本質主義』に支配されていたため、……環境運

動、フェミニズム運動、反レイシズム運動、……セクシャル・マイノリティ運動を理解できなかった」。「左派ポピュリズムの戦略は、これら多様な運動や困難な状況下にある人を結ぶことであろう。この点は日本の憲法運動も学べるのではないか」。（龍谷大学政策学部教授・奥野恒久「二〇一九年参議院選挙と憲法運動の『新たな段階』」『前衛』一九年十一月号所収）

註6　「地域支部は高齢化が進み、どの支部に行っても（六十二歳の）私がほぼ一番若い状態。日刊紙の配達も、あと何年続けられるだろうかという深刻さ。経営支部は次々に消滅。民主団体も、事務局も党員の比率は下がる一方。ビラ配布や訪問活動の参加者は減っています。」（北九州市八幡戸畑遠賀地区副委員長、『議会と自治体』二〇年一月号）

註7　「民主主義的な変革は、労働者、勤労市民、農漁民、中小企業家、知識人、女性、青年、学生など、独立、民主主義、平和、生活向上を求めるすべての人びとを結集した統一戦線によって、実現される。」（綱領第四章）

註8　代々木官僚は御用学者に本音を代弁させている。慶應義塾大学名誉教授・北村洋基は「ＡＩと資本主義を考える」（『経済』二〇年一月号）で言う、――「社会変革とは国家権力に対する政治革命のことであり、そして変革主体は労働者階級である」という「当然の前提」を捨てよ。「労働者以外の多様な階級・階層によるさまざまな要求にもとづく市民運動を幅広く結集することが今日の課題である」。

〔本誌掲載の関連論文〕

・「野党連合政権」の白昼夢にふける代々木官僚――日共七中総　猿田直彦（第三〇四号）
・架空鼎談ＰａｒｔⅡ「野党連合政権」の果てしない夢（同）
・戦後三大謀略と日共の歴史的犯罪　科野百造（同）
・架空鼎談「全労連」組合役員・組合員の反乱「野党共闘」の「甘い香り」にイカレた党中央に怒り／大阪異変 下部党員から批判続々／党勢衰退に悩む党員の「希望の星」は…（第三〇二号）
・ネオ・ファシズム支配体制の安全弁　木本泰次（第三〇〇号）
・日本共産党による戦後革命の裏切り　三原克也（第二九八号）
・「平和」幻想を煽る日共官僚を弾劾せよ　木本泰次（第二九六号）
・「全労連」指導部の賃金闘争放棄を許すな　多摩川梅子（第二九四号）

組織的・思想的崩落を露わにした日共第二十八回党大会

日共の第二十八回党大会（二〇二〇年一月十四日〜一八日）は、「歴史的成功」という不破＝志位指導部の宣伝とは裏腹に、代々木共産党組織の総瓦解を加速度的に進行させる跳躍台となった。われわれ革命的左翼は、∧反安倍政権∨の闘いを推進するただなかで、日共改定綱領の反プロレタリア性・イデオロギー的頽廃を暴きだす批判の弾丸を今こそ転向スターリニスト党官僚にぶちこみ、もってわが革命的共産主義運動の飛躍をかちとるのでなければならない。

「党勢拡大大運動」の大破産

昨一九年九月いらい四ヵ月間にわたる「党大会成功をめざす党勢拡大大運動」をつうじて、前回大会水準の回復（党員二万人増、『しんぶん赤旗』読者一四万三〇〇〇人増）という目標が達成できないどころか、党員数が減少してしまったという厳然たる結果に代々木官僚は直面している。彼らは、昨年十一月に発表した大会決議案では「二八万人」と記していた党員数を、党大会で採択された決議では「二七万人余」にこっそりと下方修正せざるをえなくなった。

『しんぶん赤旗』読者数も、「大運動」期間通算の増紙分（日刊紙・日曜版あわせて約一万）の六割を党大会後の二週間たらずで失う大幅減紙に転落した。代々木官僚は大会決議において『しんぶん赤旗』の発行ができなくなる危機」を吐露したのであったが、この危機が党大会をつうじてさらに深刻化しているのだ。

顔面蒼白になった不破＝志位指導部が「読者を減らしてもやむを得ないという、四十年間の惰性を今こそ吹っ切れ」（二月十七日、全国都道府県機関紙部長会議での志位発言）などと金切り声をあげ、下部党員を〝休日返上〟での読者拡大に無理矢理に駆りたてている。疲弊しきった党員たちは、「増やせ、増やせ」と号令するだけの中央官僚にたいする怨嗟をますます昂じさせているのだ。

「党創立一〇〇周年までに野党連合政権の道を開く」という「大目標」を掲げたシンボル操作によって下部党員たちを「党勢拡大」に駆りたてようとした不破＝志位指導部の目論見は、完全に破産したのである。

保守系野党への抱きつき

立憲民主党国会対策委員長・安住淳、国民民主党幹事長・平野博文、「特別ゲスト」衆院議員・中村喜四郎（元自民党）らの来賓あいさつを「野党共闘の発展」の証として演出することに代々木官僚は腐心した。彼らは、党大会で決議した安保条約・自衛隊などの「政策上の不一致点」にかんする「対応」の指針にのっとって、「各党の不安と懸念を解消するために、『こう処理できますよ』と安心していただく」（党委員長・志位和夫）などと立民や国民民主にもみ手ですり寄っている。これら保守系野党から

「野党共闘の発展」の演出——
左から中村、安住、志位、平野

「野党連合政権構想」での合意をひきだすために、「閣内に入ったら、安保条約は維持、自衛隊は合憲の立場をとる」などという誓いをたてることに血眼になっているのだ。安倍政権がトランプ政権につき従って日米新軍事同盟＝対中

・対露攻守同盟の飛躍的強化と憲法改悪の一大攻撃に突進しているまさにこのときに、反戦反安保・反改憲の闘いにたいする敵対者としてたちあらわれているのである。

綱領改定への批判封殺に躍起

日共党綱領改定案にたいしてわが同盟が放った批判、とりわけ「中国＝社会主義をめざす国」規定削除の欺瞞性の暴露に触発された多くの日共党員たちが、党内で批判を噴きあげた――〃かの規定を〇四年に綱領に書きこんだこと自体が誤りだったことを認め・自己批判せよ〃と。この批判を封殺することに躍起になったのが不破＝志位指導部だ。党大会において志位は、「中国をどういう経済体制と見ているのか？」という質問にたいして「政党として特定の判断を表明すれば内政問題への干渉になりうる」から「内部的には研究を行っているが、現時点で、経済体制についての判断・評価を公にする態度はとらない」などとはぐらかし逃げまわることしかできなかった。

〇四年綱領の策定者である不破哲三じしんが発言にたったが、「中国自身の多年の対外活動からの当然の結論だ」としか語ることができず、中国が掲げる「社会主義市場経済」をなにひとつ批判できない、いや「市場経済」を全面肯定していることを露呈した。しかも、「二〇〇八年四月」に中国船団が「尖閣諸島の領海を侵すという事態」が生起したことで中共指導部が「大国主義、干渉主義」であることを「痛感した」という不破の言い訳は、官僚的自己保身に駆られたウソ八百でしかない。〇九年の三度目の訪中＝日中両党理論会談でも中国の「社会主義をめざす国の優位性」なるものを礼賛し、尖閣問題での批判などおくびにも出さなかったのが不破なのだからだ（〇九年九月刊の不破『激動の世界はどこに向かうか――日中理論会談の報告』新日本出版社刊、を見よ）。日共党内で〝不可侵〟とされてきた不破の〝理論的権威〟のメッキは、もはや完全に剥がれ落ちたのである。

労働運動を足蹴にした決議

代々木官僚が労働運動を「市民と野党の共闘」の「敷き布団」におとしめていることへのわが同盟の断固たる批判に感化された労組活動家の日共党員を中心にして、「決議案に労働運動の方針がまったく書かれていないのは、労働運動の放棄ではないか！」という弾劾の声がまきおこされた。この批判を丸めこむために不破＝志位指導部は、「労働運動の役割についての記述を求める意見」に応えると称して決議には若干の追加をほどこした。その中身たるや、「野党連合政権をすすめるために……これまでの行きがかりを乗りこえ……労働組合運動が積極的な役割を果たすことを期待する」というものであった。「連合」労働貴族を一言も批判することなくひたすら「共同の発展」を求めて秋波を送り、労組を「野党連合政権」づくりの尻押し部隊として利用する――こうした代々木中央が決議に追加した〝方針〟は、経営支部の存亡の危機にたたされ苦闘している労働者党員たちの絶望と怒りを倍加するにちがいない。

「ジェンダー平等」の理念化

代々木官僚は、「ジェンダー平等の党への自己改革」なるものを党大会で高らかに謳いあげ、またその後のあらゆる場面で大宣伝している。従来の日共支持者の枠を超える〝市民〟層からの支持（＝票）を集めるために、「ジェンダー平等」を改定綱領に明記したことをアピールしたり、ＬＧＢＴ党員をことさらにもちあげたり、「初の女性政策委員長」に田村智子を据えたことを党幹部人事の目玉商品としておしだしたり……というように。

日共の第二十八回党大会は、あたかも「男性も、女性も、多様な性をもつ人々も、差別なく尊厳をもって自分らしく生きられる社会」という没階級的な内実の「ジェンダー平等」なるものが党の〝基本理念〟たらしめられたかのような様相を呈した。不破＝志位指導部の号令による「ジェンダー平等の実践」へののめりこみは、代々木共産党から〈階級〉という観点を完全に一掃し、小ブルジョア個人主義の集団への転落＝〝解党〟の劇的進行をもたらすにちがいない。

転向スターリニスト党を革命的に解体せよ

党大会では、委員長・志位、書記局長・小池晃が留任、齢八十九の不破が常任幹部会に居座る、というかたちで中央指導体制の現状維持が確認された。彼ら代々木中央官僚は、「発達した資本主義の成果」を「継承し発展させることによって」実現される「社会変革」こそが「社会主義・共産主義の大道である」などという「命題」――「世界史的な『割り切り』」と称してうちだしたそれ――を日共綱領に書きこんだことにふまえて、「資本主義の枠内での改良」を自己目的化する路線のさらなる右翼的緻密化に狂奔するにちがいない。

国家独占資本主義に跪拝する転向スターリニスト官僚の真正修正資本主義路線の反プロレタリア性を徹底的に暴きだせ！「政権合意」を自己目的化し他の野党に「安心していただく」と称して「安保廃棄」も「憲法第九条の完全実施（自衛隊の解消）」も投げ捨てた不破＝志位指導部を弾劾せよ！日本型ネオ・ファシズム支配体制の安全弁に転落しきったこの転向スターリン主義党を革命的に解体するイデオロギー的＝組織的闘いを断固としておしすすめよう！良心的な日共下部党員に不破＝志位指導部からの決裂をうながし、わが〈反帝・反スターリン主義〉の戦列に結集させようではないか。

二〇春闘の勝利をかちとれ

一律大幅賃上げ獲得・改憲阻止の闘いの高揚を

中央労働者組織委員会

二〇二〇年代は、軍国主義帝国アメリカによるイランへの新たな戦争放火によって幕を開けた。暗愚の大統領トランプは、イラクを拠点にシーア派三日月地帯の反米闘争を指揮してきたイラン革命防衛隊の司令官ソレイマニを爆殺した(現地時間一月三日)。この国家テロルにたいして、イランは十六発のミサイルを米軍が駐留するイラクのアサド基地などにぶちこんだ。「英雄」ソレイマニの葬儀に結集した数百万のイラン人民が「アメリカに死を」と雄叫びをあげたこと。イラクの国会が「イラクからの米軍の撤退」を決議したこと。そしてシーア派武装組織が中東全域からの「米軍叩き出し」の闘争に陸続と決起しつつあること。――これらをまのあたりにして青ざめたトランプは、早くも「われわれは軍事力は使いたくない」「誰とでも平和を築く用意がある」などという惨めな敗北宣言を発せざるをえなくなったのだ(一月八日)。

このイランへの戦争放火に端的なように、「キー

『解放』販売書店一覧

●北海道

MARUZEN＆ジュンク堂書店札幌店	中央区南１西１
東京堂書店	札幌市北区北24西５
TSUTAYA木野店	音更町木野大通西12

●東京都

書泉グランデ	神田神保町
ジュンク堂書店池袋本店	南池袋
紀伊國屋書店新宿本店	新宿駅東口
模索舎	新宿２丁目
芳林堂書店高田馬場店	高田馬場駅前
オリオン書房ルミネ立川店	ルミネ立川８階

●神奈川県

有隣堂本店	横浜伊勢佐木町
有隣堂横浜駅西口店	ジョイナスB1階
有隣堂アトレ川崎店	アトレ川崎４階

●群馬県

煥乎堂本店	前橋市本町

●茨城県

やまな書店	水戸市大工町

●北陸地方

金沢大学生協	金沢市角間
うつのみや金沢香林坊店	香林坊東急スクエア
うつのみや金沢百番街店	金沢駅Rinto

●東海地方

MARUZEN＆ジュンク堂書店新静岡店	新静岡セノバ５階
ジュンク堂書店名古屋店	名駅３丁目
MARUZEN名古屋本店	栄丸善ビル３階
ウニタ書店	名古屋市今池
三洋堂書店いりなか店	名古屋市いりなか
愛知大学生協	豊橋市

●関西地方

丸善京都本店	京都BAL地下１階
ジュンク堂書店大阪本店	堂島アバンザ３階
大阪経済大学生協	東淀川区
関西大学生協	吹田市

●九州地方

福岡金文堂本店	福岡市新天町
金修堂書店本店	福岡市草香江
宗文堂	門司区栄町
ジュンク堂書店鹿児島店	鹿児島市呉服町

●沖縄県

ジュンク堂書店那覇店	那覇市牧志
ブックスじのん	宜野湾市真栄原
朝野書房沖国大店	宜野湾市宜野湾
宮脇書店宜野湾店	宜野湾市上原
宮脇書店美里店	沖縄市美原
宮脇書店名護店	名護市宮里

（2024. 10 現在）

◎『解放』掲載の主要な論文や記事の一部をホームページで紹介しています。
革マル派公式サイト　http://www.jrcl.org/　E-mail jrcl@jrcl.org
◎ 解放社の出版物はＫＫ書房でも扱っています。
TEL03-5292-1210　http://www.kk-shobo.co.jp/　E-mail info@kk-shobo.co.jp

プ・アメリカ・グレイト」の演出に狂奔するトランプの国家エゴイズム丸出しの軽挙妄動によって、アメリカ発の政治的・軍事的・経済的危機が次々に生みだされ、現代世界は「暗黒の世紀」としての諸相を日々むきだしにしつつある。戦火と圧政により世界各地でおびただしい戦争難民や経済難民が生みだされ、米日欧でも中国でも、富める者と貧しき者との凄まじい分裂が生みだされているのだ。

この二十一世紀現代を前に向かってきりひらきうるのは、「鉄鎖のほかに失うべきものをもたない」（マルクス）プロレタリアート以外にはありえない。わが反スターリン主義革命的左翼は、この日本の地において、一切の腐敗しきった既成指導部をのりこえ労働運動の戦闘的再生をかちとろうではないか。

目　次

Ⅰ　労働者・人民に戦争と貧窮を強いる政府・独占ブルジョア

A　改憲と大衆収奪に突進する安倍政権

戦争はある日突然に、一発の銃声と愚かな権力者の誤算から勃発する――このことをまざまざと示したのが、トランプの放った国家テロルであった。

昨一九年十二月二十九日、米軍は、シーア派武装組織「カタイブ・ヒズボラ」のイラクとシリアの拠点を空爆し、二十五人を殺害した。これへの報復としてイラクの「人民動員隊」がバグダッドのアメリカ大使館への抗議闘争を展開し、敷地内に入って火を放ったりした。逆上したトランプは、国務長官ポンペオや副大統領ペンスらにそそのかされてソレイマニ爆殺を強行したのだ。

これにたいしてイランは、一月八日、「殉教者ソレイマニ」と銘打った報復攻撃をおこなった。イランは、この攻撃を事前にイラクを介してアメリカに伝え攻撃の直後にもスイスを介して「全面戦争の意志はない」ことを伝えた。「報復」の攻撃をソレイマニの葬儀に花を添える「平手打ち」(ハメネイ)程度の威嚇にとどめたのだ。こうしたイランのしたたかで緻密な対応のゆえに、トランプはこれに飛びつき先の声明を発したのである。

だが米軍はソレイマニとともにイラクの「人民動員隊」の最高指導者ムハンディスをも殺害したのであって、このソレイマニ爆殺事件を契機に、イランと気脈をつうじたイラクの「人民動員隊」、レバノンの「ヒズボラ」、イエメンの「フーシ」などのシーア派武装諸組織が、中東全域で「米軍叩き出し」の武装闘争をくりひろげるにちがいない。アメリカの中東支配の終焉の日は確実に迫っているのだ。

けれども、たとえアメリカ自身は中東の石油に依存する必要がなくなっているとしても、中東から逃げだすわけにはいかない。昨年十二月のオマーン湾での合同軍事演習に示されるように、イランと中国・ロシアとはいまや公然と結託している。それだけでなく、習近平政権とプーチン政権はトランプ政権の無為無策に乗じて、シーア派三日月地帯を包みこむかたちで、経済上・軍事上の拠点を築き拡大している。まさにこのゆえに、中東における戦争勃発の危機は日々高まり、しかもこれが第三次世界大戦へと燃え広がる危険が増大しているのだ。

こうしたなかで安倍政権は、ついに日本国軍をオマーン湾・アラビア海・アデン湾に派遣した。一月十一日にはＰ３Ｃ哨戒機二機を送り出し、二月には護衛艦「たかなみ」を差し向けようとしているのだ。

安倍政権は、日米安保の鎖で締めあげられた世界で唯一のアメリカの〝属国〟として、今まさにアメリカ帝国主義の軍隊に日本国軍を合流させ、対イラン戦争の「参戦国」になろうとしているのである。

しかもこの政権は、トランプ政権による日本全土への中距離核ミサイル配備の要請を唯々諾々と受け入れようとしている。日本列島を対中国・対ロシアの核ミサイルの要塞にしようとしているのだ。また、「アジア最大の海兵隊出撃拠点」となる辺野古新基地の建設を、沖縄人民をはじめとする労働者・人民の反対運動を圧殺して、何がなんでも強行しようとしている。

このように、安倍政権は〝いつでも世界中のどこでもアメリカとともに戦争をやれる〟軍事強国へと日本を飛躍させようとしている。そしてまさにそのために、「戦争放棄・戦力不保持」を謳った現行憲法の制約を最後的に払拭することを狙って、憲法の大改悪に突き進もうとしているのだ。自衛隊の明記による憲法第九条の破棄、戦争に国民を総動員する非常大権を首相に与える緊急事態条項の創設、教育の国家統制の強化――これらを盛りこんだネオ・ファシズム憲法の制定にこぎつけようとしているのが、極悪反動の安倍政権なのである。

この安倍政権はいま、安倍晋三本人やとりまきの政治エリートどもの汚濁と腐敗を次々に露呈させている。安倍政権礼賛の声を巻き起こすための「桜ゲート」や、富裕層呼び込みのためのIR（カジノを含む統合型リゾート）をめぐる汚職の露呈などによっていまや、断末魔に陥っているのだ。すでに七年の長きにわたりNSC（国家安全保障会議）専制支配体制の上に胡座《あぐら》をかくことによって〝長期政権〟の末期症状を露わにしている安倍政権は、「史上最低の首相」の汚名返上のためにも「軍国日本の再興」になんとしてもこぎつけようとしているのだ。

労働者・人民への収奪の強化

こんにち安倍政権は、イージス・アショアなどのアメリカ製兵器をトランプ政権の〝言い値〟で爆買いしている。そのうえに、在日米軍駐留費の日本負担分を〝四・五倍にしろ〟というトランプの途方もない要求をさえ受け入れようとしている。また、日本の軍事費については、来年度予算案において、過去最高の五兆三〇〇〇億円以上を計上している。

そして、このように軍事費をうなぎのぼりに増えさせる他面において、社会保障費を削減することを画策しているのが安倍政権なのである。安倍政権が掲げる「全世代型社会保障」なるものは、徹底して社会保障の給付を減らし人民の負担を増大させる極めてあくどいものである。すでに政府・自民党は、七十五歳以上の高齢者の病院受診時の窓口負担を現行の二倍の原則二割負担とすることを決定した。また、年金受給開始年齢を七十五歳以上に引き上げることを目論んでいる。

〝元気高齢者〟を「高齢者雇用」や有償・無償のボランティアなどのかたちで活用することを資本家どもに勧めているのが、安倍政権なのである。この政権は、「少子高齢社会」における労働力不足を打開するために、高齢者も障害者も病人も母子家庭の女性なども〝元気なかぎり死ぬまで働け、そして税や保険料を納めろ〟と叫んでいるのだ。

「異次元の金融緩和」も「財政再建」も凄絶なパンクをとげ国家財政危機が進行しているなかで、労働者・人民に犠牲を強いることによってこうした危機をのりきろうとしているのが、安倍日本型ネオ・ファシズム政権なのだ。

B　独占資本家どもの賃金抑制・合理化攻撃

米中貿易戦争に翻弄され、第四次産業革命への立ち後れとしのびよる不況への突入におびえている日本独占ブルジョアジーは、いま労働者・人民にいかなる攻撃を打ちおろそうとしているのか。

経団連会長の中西宏明は、今春闘を前にして「〈賃上げについて〉一括の議論は意味がない」・「日本型雇用制度の見直し」をこそ労使で議論すべきであると居丈高に主張している。彼は日本の独占資本家どもを代表して、「現下の日本の最大の課題は生産性の向上」であり「付加価値を高めること」であるとまくしたてているのだ。

この中西発言に示されるように、独占ブルジョアどもは日本政府とともに、日本経済の低成長をもたらしているものは「生産年齢人口」減少のゆえの「人手不足」と、国際的な「第四次産業革命」への立ち後れであると危機意識を露わにしている。そして彼らは、「人手不足」を打開するために「生産性向上」が絶対に必要であるとして、「付加価値を高める」ことのできる企業を増やそうとしているのだ。こうして彼らは、「価値を創造する社会（Society 5・0）」を謳い文句にして、従来の「ものづくり」中心の産業構造を「デジタル革新技術」を生かした「成長分野」の産業・業種を中心とするものへと転換することを目論んでいるのだ。

そして、彼らは「成長産業・業種」を伸ばすために、「新卒一括採用・年功序列・終身雇用制をセットとする従来の日本型雇用システム」を一掃しようと企んでいるのだ。独占ブルジョアどもが外国資本と競って優秀なＩＴ人材を獲得するために、これら

「ＩＴ職」労働者には職務限定の「ジョブ型雇用」と「成果をより重視した昇給制度」、そして〝残業規制なし・働かせ放題〟の「高度プロフェッショナル制度」を適用すること。そしてそのような一部の優秀なＩＴ人材以外の労働者の多くを非正規雇用労働者にして低賃金・長時間・超強度の労働を強いること、これを策しているのだ。

彼らブルジョアどもは、「新時代の日本的経営」の名において、すでに一九九〇年代後半から数多の正規雇用労働者の首を切り非正規雇用労働者を増やしつづけ、さらにその非正規雇用労働者も次々に雇い止めにしてきた。しかも賃金支払い形態を年功部分を縮小ないし廃止した成果主義的なものに変えてきたのである。（註１）

だが、いまなお「長期雇用の正社員」と「年功給」的な定期昇給制度が一部残ってはいる。わがブルジョアどもはこれを最後的に葬りさることを企んでいる。そしていま、春闘を〝生産性向上のための雇用・人事・賃金制度の大改編をめぐる労使協議の場〟へと変えようとしているのだ。

ＡＩの導入に狂奔する独占資本家

自動車など日本の製造業の独占資本家どもは、「ＧＡＦＡ（グーグル、アップル、フェイスブック、アマゾン）」など巨大ＩＣＴ（情報通信技術）企業を中心とした自動運転やシェアサービスなどの開発をまのあたりにして、「第四次産業革命」への立ち後れを痛感し危機意識をむきだしにしている。彼らは、いまや「ものづくり」だけでなく情報通信サービス企業と提携した新サービスの開発に狂奔している（トヨタの「車の会社からモビリティの会社へ」のように）。彼らは、みずからの生き残りをかけて他業種との提携、不採算部門の切り捨て、下請け・系列企業への生産性向上を命じながらのサプライチェーン大再編などをおしすすめているのだ。

そして、生産過程においては、生産ラインへのロボット導入にとどまらず部品や生産物などを倉庫や工場から移動させるための〝運搬型ロボット〟などをも導入しつつ「余剰」とみなした労働者の首を切り、残った労働者に苛酷な労働強化を強いている。

自動車や鉄鋼など技能労働者を要する製造部門においても、一九九〇年代いこう資本家どもが熟練労働者の首を切り・非正規雇用労働者への置き換えを強行してきた。デフレ下で新たな労働者の採用をしなかったことのゆえに、熟練労働者が定年を迎えて労働組織の技術性は著しく劣化し、事故やオシャカが多発している。それゆえ資本家どもは、こんにち残っている熟練労働者の仕事をＡＩ（人工知能）に「観察」・「学習」させて、この学習したＡＩに新人労働者を教育させることなども目論んでいる。だが、熟練労働者の〝カンやコツ〟にかかわることをＡＩが習得できるはずもなく、このような〝ＡＩによる新人教育〟はことごとく破産している。そしてＡＩに教わり・ＡＩに使われている労働者の労働はさらに苛酷なものとなっているのだ。

流通機構やサービス業の業務過程にも、資本家どもはＩｏＴ（モノのインターネット）・ＡＩをドンドン導入している。「窓口業務」などの事務の業務過程には、ＲＰＡ（ロボティック・プロセス・オートメーション）システムを導入し、「ＡＩ一台で三〜四人分の仕事ができる」などと称して資本家が「不要」とみなした労働者の首を情け容赦なく切っている。

独占資本家どもは、このように直接的生産過程のみならず流通機構・業務過程にもＡＩ・ＩｏＴを導入し、そうすることによって多数の労働者の首を切り、残った労働者には労働強度の非合理的増進を強いる〝二十一世紀現代の合理化〟を、いま遮二無二おしすすめようとしている。そして彼らは、一部の「優秀なデジタル人材」（「ＩＴ人材」）にのみ高賃金を支払い、他の大多数の労働者には低賃金を強いるものへと、賃金支払い形態を抜本的に改変することを画策しているのである。

それればかりではない。「配達」など流通サービス業の資本家どもは、「雇用によらない働き方」という「個人請負」の労働者を、極めて安い「単価」（事実上の労賃）を払って酷使している。これら流通業資本家どもは、「雇用契約を結んでいない」などと称して、労働時間の規制もなければ労働災害認定などもない状態に配達労働者たちをたたきこんでいるのだ。

C 「連合」指導部の春闘破壊とたたかう労働者の奮闘

だが、このような資本家どもの攻撃にたいして、反撃するどころか〝横並び要求をする春闘はやめます〟とつき従うことを申しでているのが、「連合」労働貴族なのだ。彼らは、トヨタ労組をはじめとしたJCメタルの労働貴族どもを先頭にして〝春闘破壊〟の旗を振らせている。〝春闘の相場を引っ張った〟過去から訣別し、いま先頭で〝国際競争力強化のための労使協議〟の場へと春闘を変貌させているトヨタ労組指導部――彼らは、二〇春闘において、人事評価を賃金支払いにも反映させて各労働者の賃上げ幅に差をつけるべきことを要求内容に盛りこむことを、いち早く発表した。これを「働きの価値に見合った賃金」要求の〝先頭バッター〟に押したてているのが「連合」指導部なのだ。

「連合」労働貴族どもは、独占資本家どもがいま労働者の頭上に振りおろそうとしている賃金切り下げ・賃金支払い形態改悪の攻撃も、IoT・AI導入にともなう首切り・配転などの大合理化攻撃をも、傘下組合員に受け入れさせようとしているのだ。

他方、こうした「連合」労働貴族による〝春闘破壊〟と護憲・平和の運動の抑圧を眼前にしながら、彼らを批判しようともしていないのが、「全労連」の日共中央盲従分子どもなのだ。彼らは「大企業に内部留保をはき出させる」ための街頭キャンペーンや「全国一律最低賃金制度」要求の署名集めに、そして次の衆議院選挙を展望して「市民と野党の共闘」を発展させるための「新憲法署名」集めなどに、二〇春闘をねじ曲げようとしているのだ。

これら既成労組指導部の闘争歪曲に抗して今二〇春闘を戦闘的に高揚させるために、革命的・戦闘的労働者は、いま「一律にかつ大幅な賃上げを獲得しよう！」の声を巻き起こしつつある。

昨年、「連合」指導部による「上げ幅追求から水準追求への転換」の画策にたいして、わが同盟と革命的・戦闘的労働者は直ちに批判を開始し、「連合」の内外から〝春闘の破壊を許すな！〟という声を巻き起こしてきた。この昨年の闘いにふまえ、いま欺瞞的にも「中小重視」などのまやかしの言辞を吐きながら春闘の埋葬に突進しようとしている労働貴族どもにたいして、たたかう労働者は、あらゆる機会をとらえて彼らの主張の反労働者性・犯罪性を暴露し弾劾する追求を開始している。

また、革命的・戦闘的労働者たちは、資本家どもが事業再編や業務委託を強行しつつ労働者にたいする首切り・転籍・配転の攻撃をかけたり、「働き方改革」と称して〝不払い残業〟の強制・労働強度の非合理的増進を強行したりすることにたいして、労組を主体にして断固として反対の闘いをおしすすめ、そのただなかで革命的ケルンを強化・拡大し、それを基礎にして組合を戦闘的に強化してきたのである。

わがたたかう仲間たちは、「自衛隊容認・改憲論議推進」を唱える右派単産執行部が牛耳る「連合」指導部が、陰に陽に護憲や反戦・平和の運動を抑圧することに抗して、様ざまな工夫を重ねながら「九条改憲許すな！」「辺野古新基地建設反対！」などの反改憲・反戦反安保の闘いを職場生産点からつくりだしてきた。そしていま、わが革命的・戦闘的労働者たちは、〈自衛隊の中東派兵阻止！　日米新軍事同盟の強化反対！　憲法改悪阻止！〉の闘いを、全学連のたたかう仲間と連帯しながら今春闘のただなかで大爆発させるために奮闘しているのである。

Ⅱ　既成指導部の賃金闘争放棄を許すな

A　「連合」指導部の春闘破壊を弾劾せよ

「連合」の二〇春闘方針の特徴は以下のようなものである。

第一には、要求内容として〝上げ幅要求〟を放棄したことである。彼らは、「上げ幅」ではなく「賃金水準を求める」などと称し、「賃金闘争」ではなく「『賃金水準』闘争」などと呼称している。

第二は、「上げ幅」要求を放棄したことをごまかすために、「底上げ」・「格差是正」・「底支え」の三つを「再定義」していることである。

彼らのいう「底上げ」とは、「二％」（定昇分を含めて四％）の「上げ幅」の要求を、かたちのうえでのみ残すことである。それは、「連合」傘下組合のＪＡＭ・フード連合・ＵＡゼンセンなど中小企業の組合幹部らからの「上げ幅も掲げろ」という突き上げを受けて、「連合」指導部がしぶしぶ残したものにすぎない。

また彼らのいう「格差是正」とはなにか。彼らは、「目標水準」と「最低到達水準」を掲げるのであるが、「水準以上」に達している労組には〝賃上げ自制〟を求めるということなのだ。

さらに「底支え」と称して彼らは、賃金の低い労働者には「時給一一〇〇円以上」を保障せよというのであるが、これは主に未組織労働者を引きつけるためのものであり、実際の取り組みは電話やＬＩＮＥでの労働相談や〝労働組合の存在意義〟のキャンペーンなどでしかない。

第三の特徴は、「働きの価値に見合った水準」を求めていることである。独占資本家どもが主張している「仕事・役割・貢献度を基準とする賃金」などに賃金支払い形態を改変することを、労組としても積極的に位置づけて受け入れようとしているのだ。

第四の特徴は、従来はかたちばかりは残していた春闘の「戦闘配置」を、いまや公然と投げ捨てたことである。「連合」指導部は、「中小・非正規重視」をおしだす他面で、大企業労組については「もう縛りはかけない」ので〝勝手に要求を決めろ〟というのだ。そして彼らは、従来の自動車や電機などＪＣメタルの大手労組が「先頭バッター」として賃金相場を引き上げるというような「戦闘配置」を葬りさろうとしているのである。

生産性向上を尻押しする労働貴族

このような「連合」労働貴族どもがうちだしている二〇春闘方針は、賃金闘争を放棄し春闘を最後的に埋葬することの公然たる宣言にほかならない。

「連合」指導部が指標として掲げている「賃金水準」なるものは、それ自体が政府・厚生労働省推計の非正規雇用労働者も含めた全労働者の平均という極めて低額なものである。そしてそれは、この「水準」を上回る労組には事実上〝賃下げ容認〟を迫るものにすぎない。しかも「底上げ二％程度」を「要求基準」とするなどと掲げてはいるが、「連合」労働貴族どもはそれさえもかちとる気など毛頭ないのだ。実際、会長・神津里季生みずからが公言しているのだ——「二％程度の『程度』に加えて『基準』と〔表現したと〕いうことは、これはむしろもうやめようということだ」と（定例記者会見）。「連合」指導部みずからが、賃金闘争放棄を臆面もなく自認しているのだ。

そればかりではない。資本家どもによる賃金支払い形態の改悪にたいして、彼らはこれに応じ、「働きの価値に見合った水準」なるものを要求している。これこそは資本家どもの経営労務施策への全面屈服であり、労働者階級にたいする大裏切りなのだ。

これは、資本家が労働者にたいしてキッチリ「人事評価」をするようにと、労働組合の側から要請するものにほかならない。かねてより「年功給」を崩してきた資本家どもは、「職能」「職務」や「成果」「能力」や「仕事・役割・貢献度」などの用語を用いながら賃金支払い形態を緻密化しようとしてきた。それは「〔ジョブとポジションとの統一であるとされる〕職務」などの曖昧な用語で労働の〝種類〟のようなものを規定し、加えて他の労働者への管理や教育などの「役割」や経営者の方針に忠実であるか否かなど労務管理の観点からの評価――これらを含む「人事評価」にもとづいて労働者を〝格づけ〟し、その格づけにもとづいて賃金を支払うというものである。「連合」指導部の要求は、この〝格づけ〟を〝キッチリやれ〟と要求するものではないか。（註2）

だが、労働者にたいする格づけを緻密化し労働者の管理を徹底化することを資本家に求めることほど、反労働者的なことはない。それは、経営者や管理者が労働者にたいして労務管理を強化することを認め、労働者同士を競わせ分断することに手を貸すことではないか。労働者にたいして、「賃金水準」を上げるためと称して生産性向上のために労働強化に堪え忍べと命じるものなのである。

まさに「連合」労働貴族どもは、今春闘で「経済の自律的成長」「社会の持続性」をめざすと称し、そのためには「社会全体の生産性向上」に労組も努力するということを、政府・ブルジョアジーに誓っている。〔「生産性向上」への協力を誓いつつ「生産性三原則」（「雇用の維持拡大」「労使の協力と協議」「成果の公正な分配」）を資本家どもに要請しているのが、「連合」指導部なのだ。〕

いま「生産性向上」を叫ぶ独占資本家どもは、企業内労組を第二労務部として会社組織体に編みこみながら労務管理を熾烈に強化している。このゆえに、多くの職場で管理職・職制による「ハラスメント」と呼ばれる職員への〝監視とイジメ〟が横行している。三菱電機において新入社員が自殺に追いこまれたように、大独占体の職場でくりかえされる労働者への苛酷な労働の強制と労務管理の強化が、労働者を死に追いつめているのだ。このような過労死・過労自殺さえもひきおこす「生産性向上」と労務管理強化を容認し尻押しするのが、「連合」指導部なのだ。

それだけではない。独占資本家どもはいま「終身雇用制・年功序列制・企業別労働組合」を三本柱とする「日本型雇用システム」にかんして、「終身雇用および新卒一括採用」と「年功的賃金制度」とを改変し、同時に企業別労組をいっそう深ぶかと抱きこむことを策している。企業別労組が「産別勢揃い・横並び」になり戦闘配置や闘争形態を緻密化して賃上げを要求してきた「春闘」を、〝横並び〟ではなく各企業別の〝労使協議の場〟へと、最後的につくりかえることを企んでいるのだ。そして、これを積極的に受け入れようとしているのが、労使協議路線にもとづいて春闘をねじ曲げてきた「連合」労働貴族どもなのである。彼らはいまや「労使運命共同体」イデオロギーを満開させて、各企業ごとに労組と資本家とが〝企業を良くする当事者同士〟として〝競争力強化のための労使協議〟をする――そのようなものへと春闘を変貌させようとしているのである。

まさしく日本労働者階級の闘いを階級内部からおさえこみ、資本家どもの賃下げ・賃金支払い形態改悪・合理化推進を貫徹する手助けをするブルジョアジーの〝第五列〟としての役目を果たしているのが、こんにちの「連合」指導部なのだ。

われわれは、この「連合」指導部を徹底的に弾劾し、今春闘の戦闘的高揚をきりひらこうではないか。

B 「全労連」の「最賃制」要求運動をのりこえてたたかおう

他方、「全労連結成三十年の到達点」は「市民と野党の共闘」が発展したことであるなどと、脳天気にも描きだしているのが「全労連」日共系指導部である。市民主義・議会主義に骨の髄まで冒された日共系指導部どもは、いまや「全労連」の歴史をも「市民と野党の共闘の発展史」のようなものへと書きかえようとしているのだ。

この彼ら「全労連」日共系指導部はこんにち、いかなる方針をもって春闘に臨もうとしているのか。(以下の引用は『二〇二〇年国民春闘白書』などによる。)

彼らの春闘方針の第一の特徴は、賃上げ闘争を事実上「全国一律最賃制」要求運動に解消しようとしていることである。彼らは、要求内容としては「二万五〇〇〇円の賃上げ」や「底上げ」を掲げている。そしてこれをかちとるための運動方針としては、(a)「大企業の内部留保を活用すべきとの国民世論」の喚起と(b)「全国一律最低賃金制度を今春闘で実現すること」をあげている。彼らは、とりわけ後者を「二〇二〇年の法制化をめざす」ものとして、力説している。

「全労連」春闘方針の第二の特徴は、「改憲反対」の課題についていては、昨年に比してもまったく力を入れていないことである。彼らは『「安倍改憲」スケジュールを大きく遅らせ、追いつめている」、これは「市民と野党の共闘」によって先の参議院選挙で「改憲勢力」の議席を三分の二以下にしたからだ、などと自画自賛している。そして、「次の衆議院選挙では政権構想も視野に入れる」などと浮かれ、三〇〇〇万人署名の次の新しい〝憲法署名〟にとりくむとしているのである。

第三には、AI・IoTなどの技術諸形態を〝労働者のために使え〟という珍奇にして反労働者的な主張をおこなっていることである。「技術革新は技術や研究・開発など労働者の労働の結果」であり

「企業の利益のためでなく、雇用を守り、労働者の肉体的・精神的負担の軽減のためにある」のだ、などというのだ。

彼らは、資本家が導入した機械を〝労働者が楽になるように使え〟と、ＡＩの導入を尻押し賛美する主張を恥ずかしげもなく開陳しているのだ。

第四には、「労働の成果が労働者に分配されていない」から「労働者と資本家との格差」がある、これを「是正しろ」という主張を展開していることである。これは、「全労連」日共系指導部が従来主張してきた「賃金は労働力の対価であり生計費だ」という主張からもいまや離陸し、賃金を「労働の対価」とか「労働の報酬」とかとみなす反マルクス主義的な俗説に完全に染まってしまっていることを意味する。

春闘の市民主義的・議会主義的歪曲を許すな

以上見てきたような「全労連」指導部の春闘方針は、あまりにも反労働者的なものではないか。

彼らは、「全国一律最賃制」を法制化することを今春闘の最大の〝目玉商品〟としている。そしてこの法制化のために「国会で過半数（の賛成議員）をとる」ことを目標にした（自民党も含む）議員への働きかけや世論喚起に、今春闘を解消しているのだ。

彼ら日共系指導部は、この「最賃制」法制化の政府への要請が、「保守層を含む広範な」議員にも、「主権者」にも受け入れられるなどと〝目算〟している。国会内で野党共闘から日共がはじきだされないようにするためにも、衆院選に向けて日共の票田開拓をすすめるためにも、彼らはこの政策要請を〝重点課題〟としているのだ。

このような法案成立を求める議員要請に組合員を引き回したり、これを日共の政策宣伝に結びつけたりすることに賃金闘争を解消することを、われわれは許してはならない。いまや労働組合を「市民と野党の共闘」の「敷き布団」などと位置づけ、組合員を票田とみなして選挙民や市民の〝一員〟におとしめて、労働者の団結を破壊しているのが、「全労連」日共系指導部どもなのだ。

いうまでもなく労働者は、主権者や市民の一人などではなく、労働組合という団結形態をとった労働者階級として、経営団体として連合した資本家階級と対峙し、賃上げをめぐる闘いを展開するべきなのだ。この「階級闘争の基本的形態をなす」賃金闘争(黒田寛一『賃金論入門』こぶし書房刊)によってこそ、労働者階級の階級的団結はうち鍛えられるのである。われわれは、「全労連」日共系指導部による労働組合運動の市民主義的・議会主義的歪曲を断じて許してはならない。

「全労連」指導部の〝AI・IoTなどの技術革新は「労働者の労働の結果」だから「労働者の生活向上」に充てろ〟とか〝労働の成果を労働者に分配せよ〟とかといった主張には、彼らの反マルクス主義的な思想的変質が露わになっている。〝資本主義がつくりだした成果を継承し発展させることこそが社会主義・共産主義の大道だ〟などとうそぶき、これを改定綱領に盛りこもうとしている日共の党官僚ども――これにつき従っているがゆえに、いまや「全労連」の日共中央盲従指導部はその反労働者性をますますむきだしにしつつあるのだ。

日共中央の転向スターリニストどもは「機械は、言語と同様に資本主義制度にも社会主義制度にも奉仕しうる」というスターリンと同様に、生産諸手段を階級性と無縁なものであるかのようにとらえている。それどころか、AIそれ自体を〝資本主義がつくりだした成果〟であり〝労働時間の短縮をもたらすスバラシイ機械〟であるなどと賛美している。〝AIを活用すれば労働者の労働時間が短縮できる〟などという夢想にとりつかれているのだ。

だが、資本制生産のもとでの生産過程・流通機構・業務過程へのAIの導入は、熟練労働者への首切りと残った労働者へのかつてない苛酷な労働強化をもたらしているではないか。資本の生産過程においてAI・IoT・ロボットなどの機械に使われ〝ロボット人間化〟している労働者は「労働者が生産諸手段を使用するのではなく、生産諸手段が労働者を使用する」(マルクス)ことを日々実感し、〝二十一世紀現代の合理化〟に痛めつけられているのだ。このようなAIやIoTの機器の操作を強制される労働者も、それらの〝電脳〟を開発・利用する研究者も、電脳的自己疎外に日々苛まれているのだ。この現代の合理化に反対する闘いを放棄してかえりみないのが、「全労連」日共中央盲従分子たちなのだ。

彼らは、労働組合を主体として、経営者にたいして団結し賃金闘争や反合理化闘争を推進することも、反戦・反改憲闘争を大衆的に組織化することも、いまや事実上放棄しさっている。われわれは、今春闘の左翼的推進のただなかで、日共中央盲従分子たちにたいするイデオロギー的＝組織的闘いをさらに一段と強化し、「全労連」傘下組合の戦闘的・良心的組合員を彼ら転向スターリニストの軛から解き放っていくのでなければならない。

Ⅲ　春闘・反改憲闘争の高揚を切り拓け

A　二〇春闘の戦闘的高揚をかちとれ

すべてのたたかう労働者諸君！　既成労働運動指導部の腐敗を突き破り、今こそ日本労働運動の戦闘的再生をかちとろう！　今春期、労働戦線において、われわれは次のような諸闘争を創造するのでなければならない。

まず第一に、「一律大幅賃上げ」をかちとるために二〇春闘の戦闘的高揚をきりひらくことである。

独占資本家どもが「年功給廃止」を叫び、労働者にたいする賃金抑制を強行しようとしているこんにち、「連合」指導部どもの〝格差賃金〟容認・賃下げ容認の春闘破壊を許さず、われわれは、「一律に・かつ大幅な賃上げ」をかちとるために奮闘するのでなければならない。

政府・日銀が「二年で二％の物価上昇」を掲げて大規模な金融緩和にふみだしてから七年。〈アベノミクス〉の破綻は、いまや誰の目にも明らかになっている。にもかかわらず安倍は鉄面皮にも、株価と有効求人倍率の高さだけをもって「日本経済は好調」と吹聴しつつ、「今こそ好循環をまわしていきたい」などとほざいているのだ。

だが、「日本の株価が高い」のは、日銀とＧＰＩＦ（年金積立金管理運用独立行政法人）とが莫大な公的資金を注入することによって(かつ資本家どもが自社株を買うことによって)つり上げているからにほかならない(日銀は三一兆円の株を買い占め、日本の株式保有のトップとなっている)。また「雇用が増えている」のは諸企業が非正規雇用労働者を増やすことによって賃金を抑制し利益をあげているからにほかならない。実際、労働者の実質賃金は、この十年間で一三%も低下しているのだ(厚労省調査)。

日本の労働者・人民は、今こそ政府の煽りたてる「株高=好景気」の幻想を木端微塵にうち砕かなければならない。独占資本家どもは内部留保を元手に自社株を買い、株価をつり上げることによって、株主配当といわゆる役員報酬を増やしている。この資本家どもにたいして、「内部留保を吐き出せ」などとお願いしたところで労働者の賃上げをかちとることは決してできない。まさにそれは、労働者が階級として団結し、力でたたかいとる以外にはありえないのだ。

われわれは、賃金抑制に応じ〝賃金格差〟を労組としても求めるという「連合」指導部の犯罪性への自覚を組合員大衆にうながし・これをのりこえて賃金闘争をまさにプロレタリア階級闘争としてたたかうためにこそ、この「一律かつ大幅な賃上げ獲得」のスローガンを掲げる。そして同時にこのことは、戦闘的労働者たちに賃金制度そのものの階級的本質への反省をうながし、賃金労働者としてのおのれの存在についての自覚をうながす契機をつくるためでもあるのだ。

またわれわれは、資本家どもにたいして「生産性向上」に労組として協力することを誓う「連合」労働貴族やAIを賛美しその〝活用論〟を謳う「全労連」日共系指導部を弾劾し、〝二十一世紀現代の合理化〟に反対するのでなければならない。

生産過程・流通機構・業務過程へのAI導入による労働者の首切り・転籍・出向・配転と非合理的な労働強度の増進を、絶対に許すな!

たたかう労働者は、「働き方改革」・「長時間労働改善」を口実にした資本家どもによる残業代カット・不払い残業の強制や労働強度の非合理的増進にたいして、断固反対しよう！　教育労働者にさらなる労働強化を強いる「一年単位の変形労働時間制」の職場への導入を許すな！

第二に、安倍政権による労働者・人民への大衆収奪強化に反対することである。

いま日本の人民は、いよいよ貧窮のどん底に追いやられつつある。このことは、昨年十月からの消費税税率の一〇％への引き上げによってすでに小売りの売り上げは七・一％減となり、とてつもない消費減が起きているという事実のなかに示されている。

そしてこの消費税増税と社会保障制度の改悪によって、日本の労働者・人民は年間一兆六〇〇〇億円の負担増（単純計算で一人あたり一万三〇〇〇円の負担増）を強いられることになるのである。

それだけではない。いま日本の労働者・人民の頭上には、かの二〇〇八年の〈リーマン・ショック〉時を上回る解雇攻撃の嵐が迫っているといえる。なぜならば、いま世界金融危機・世界同時不況が忍び寄りつつあるからである。米・日・欧通貨当局がおしすすめてきた歴史上かつてない金融緩和策、これによりたれ流された厖大なマネーが株と不動産に群がることによってバブル化し、これがいまやいつ何時破裂するかもしれない状況となっている。加えて米・欧・日の金融諸機関は、超低金利のもとで融資によっても国債によっても利益を上げられないがゆえに、いまやアメリカのCLO（多数貸付債権プール型担保証券）に群がっている。この「ハイリスク・ハイリターン」のCLOは、まさに「金融の火薬庫」となっているのだ。かの〇八年のリーマン・ショックにおけるサブプライム・ローンの破綻と同様に、これが破綻するならば、世界は金融破綻と大不況に襲われることになる。そして、日本のメガバンクや農林中金などはこのCLOを世界全体の一五％も保有しているのであって、世界金融危機が現出するならば、日本の多くの労働者たちが路頭に投げ出されることになるのだ。

すべての労働者諸君！　われわれは、ブルジョア的危機の労働者・人民への犠牲転嫁を、絶対に許してはならない。今春闘のまっただなかで、今こそ労働者の団結をうち固めよ！

さらにわれわれは、消費税増税・社会保障制度の大改悪という安倍政権の大衆収奪強化を、絶対に許してはならない。国家財政を軍事費と米軍への「思いやり予算」にジャブジャブつぎこみ、独占資本家どもには法人税減税の優遇をしながら消費税増税・社会保障費削減の大衆収奪を強める安倍政権を、断じて許すな！

また、独占資本家どもの意を受けて安倍政権が狙っている労働法制のさらなる改悪にたいして、われわれはたたかわなければならない。「雇用の流動化」促進の名のもとに労働者の首切り促進を狙った「解雇の金銭解決制度」の法制化を絶対に阻止せよ！　裁量労働制の適用対象の拡大を許すな！　労働者の諸権利の一切を奪う「個人請負」などの「雇用によらない働き方」の拡大を許すな！

そして第三に、〈改憲阻止・反戦反安保闘争〉の大爆発をかちとることである。

アメリカ・イランの全面戦争の開戦はひとまず先送りされたとはいえ、中東での戦争勃発の危機は日々高まっている。そうしたなかで、トランプ政権につき従う安倍政権は、ついに日本国軍をオマーン湾・アラビア海・アデン湾に向けて出発させた。もはや一刻の猶予も許されない。今こそ「アメリカのイラン軍事攻撃反対！　日本国軍の中東派兵阻止！」の反戦闘争を労働戦線から爆発させようではないか。

安倍政権による日本国軍の中東派兵、トランプのアメリカとの日米新軍事同盟の強化、憲法九条破棄の三つの攻撃が相互に分離しえない歴史的攻撃として、いま日本の労働者階級・人民の頭上に振りおろされている。われわれは、＜中東への派兵阻止・日米新軍事同盟の強化反対・憲法改悪阻止＞を相互に密接不可分な一つの闘争課題として設定してたたかうのでなければならない。

米―中・露の激突のなかで、いま日本帝国主義は、軍国主義帝国アメリカに隷従し、どこまでも運命を共にすることを強いられている。しかもそのうえ、アメリカから米軍駐留費をふんだくられるという、まさに「飼い犬が飼い主にエサを与える」倒錯さえ強制されているのだ。そしてこのことを決定しているのが、日本に付けられた安保同盟という首輪と鎖なのである。それゆえに日本の人民は今こそこの安保同盟をうち砕かなければならない。「反安保」の声をまさに「安保破棄」の意志へと高めていかなければならないのだ。

われわれは、既成労組指導部の闘争放棄と抑圧をはねのけこの＜改憲阻止・反戦反安保＞闘争を、労働戦線から燃えあがらせるのでなければならない。

革命的・戦闘的労働者は、「自衛隊の中東派兵反対」や「憲法改悪反対」の闘いを「反安倍政権」へと集約しよう！　そして、ナショナルセンターの枠を超えた労組共同行動として追求し、労働者階級を中軸とした反ファシズム統一戦線を結成しようではないか。

B　今日版「産業報国会」＝「連合」を脱構築せよ！

「連合」は安倍政権のもとで、いまや「救国」産業報国運動をむきだしに展開している。この「連合」は、日本労働戦線の帝国主義的再編に抗してたたかってきた革命的・戦闘的労働者がその成立に反対したにもかかわらず、ついに一九八九年に結成されたのであった。以来「連合」は、日本型ネオ・ファシズム体制を下から支える今日版「産業報国会」としての役割を果たしつづけてきたのだ。

すべての労働者は、この「連合」労働貴族どものの過去約三十年にわたる反労働者的犯罪を今一度かみしめ、怒りをこめて弾劾しようではないか。

第一に、彼らは、独占資本家どもによる労働者への首切り・転籍・出向・配転に協力してきたではないか。一九九〇年代前半のバブル崩壊後の大不況をのりきるために資本家どもがおこなった「減量リストラ」にたいしても、九〇年代後半のデフレ突入に際して「新しい日本型経営」の名のもとに強行された「第二次リストラ」にたいしても、まさに「第二労務部」として〝スムーズなリストラ〟に一貫して手を貸してきたのが「連合」指導部と企業別労組の労働貴族どもなのだ。彼らは、二〇〇〇年代以降に激増した「ワーキング・プア」を見殺しにし、さらに〇八年のリーマン・ショック後には自動車や電機などの独占資本家どもが非正規雇用労働者たちにたいしていっせいに派遣切り・雇い止めを強行したときにも、路頭に放り出された失業者たちを救おうともしなかったではないか！

第二には、彼らは「連合」発足以来、日本型の賃金闘争である春闘を破壊する策動を、独占ブルジョアどもの意を体しておしすすめてきたのだ。彼らは、「労使協議路線」を「連合」の基本路線とすることによって、いわゆる〝ストなし春闘〟を定着化させ、春闘を「要求内容」「要求方式」「戦闘配置」「闘争形態」のすべてにわたって変質させてきたのだ。

「解雇か賃下げか」と恫喝する独占ブルジョアをまえに、これにひざまずいてあっさりと「戦闘配置」を崩し、「今後要求は産別自決の立場で決定する」などとしたこと（一九九三年）。このゆえに翌年の九四春闘では実質賃金マイナスの超低額妥結という大敗北を喫したのだ。さらに「職務・職能給」を導入しはじめた資本家どもによる賃金支払い形態の大改変にたいして、これに労組の側から呼応し、春闘の賃金要求を「個別賃金要求方式」に転換させたこと（九五年以降）。そして鉄鋼労連などは「賃金交渉は二〜三年に一度でよい」などと主張しはじめ、ついに「賃金交渉の複数年協定」実施に踏みきり（九八年）、「勢揃い・横並び」を破壊したこと。さらに二〇〇〇年には独占資本家どもの「賃下げを伴うワーク・シェアリング」なる提案に唱和し、賃下げを受け入れたのである。

第三に、彼らは階級協調主義の反労働者的なイデオロギーを絶えず流布してきた。

「労組は地域における共同セクター」だから「空き缶拾いなどの『共益』活動」を担えとか、労組の役割を「要求型」から「参加型」へと転換すべきだとか(二〇〇〇年)、「労使政は運命共同体」だとか(二〇一〇年・民主党政権時)――労働貴族どもが時どきにたれ流してきたこれらのすべては、労働組合を協同組合やNPO(民間非営利組織)のようなものへと変質させ、労働者階級の階級的団結形態としての労働組合を解体しようとするネオ・ファシズムのイデオロギーなのだ。

すべての労働者は、こうした「連合」労働貴族どもの数々の犯罪を怒りをこめて弾劾せよ！

一九五五年以来∧企業別労組の産別勢揃い∨としてたたかわれてきた日本型賃金闘争は、民同ダラ幹の政策転換路線にもとづく闘争歪曲に抗して革命的・戦闘的労働者が奮闘してきたことのゆえに、一定の戦闘性を呈していた。

だが、一九七〇~八〇年代のわが革命的左翼と戦闘的労働者にたいする国家権力の謀略的殺人襲撃を地ならしとして、日本型ネオ・ファシズム支配体制が確立され、「連合」が産業報国会としてこれを下支えするようになって以降、日本労働運動は「ネオ産業報国運動」へと変質させられてきたのだ。そして「連合」傘下の企業別労組は、労組ダラ幹の裏切りにより企業の第二労務部として資本家に抱きかかえられてきた。彼ら労働貴族どもは「労使運命共同体」とか「国難突破」とかの反労働者的イデオロギーを組合員に吹きこみ、闘いの牙を抜いてきたのである。

もはや明らかではないか。「連合」を脱構築し日本労働運動の戦闘的再生をかちとることは、日本労働者階級の急務なのだ。

すべての革命的・戦闘的労働者諸君！ 今春闘の戦闘的高揚のためにわが同盟の闘争=組織戦術にのっとったフラクション活動をくりひろげ、組合内部の革命的ケルンを強化・拡大しよう。そしてこのケルンの強化を基礎にして既成労組の戦闘的強化をかちとり、「連合」の下から〝連合型労働運動〟を突き破ろうではないか！

今日版「産業報国会」としての反労働者的な姿を

さらけだしている「連合」を、その内側から今こそ脱構築せよ！

現代世界は、荒廃を露わにしつつ没落する軍国主義帝国アメリカと、「社会主義市場経済」に根ざした諸矛盾の病魔が全身症状となって顕れつつあるネオ・スターリン主義中国との、生き残りをかけた妥協なき抗争を基軸に展開している。そしてそのもとで、いま世界の各地において、戦乱と貧窮と強権支配に呻吟する労働者・人民が反政府闘争に起ちあがっている。資本家どもとその政府による強搾取と収奪にたいして労働者・人民が起ちあがっている。また中国では、スターリニスト権力者による血の弾圧に抗して、香港人民が「香港の中国化」に反対して不屈にたたかいつづけている。

だが、これらの闘いは、闘いの前途を指し示す前衛党もプロレタリアート自己解放のイデーも不在であるがゆえに、階級闘争として自覚的に推進されてはいない。それは、たたかう人民が、スターリン主義の歴史的犯罪とその反労働者性を、それがニセのマルクス主義でしかないことを、いまだ自覚していないからにほかならない。

すべてのたたかう労働者・学生諸君！　われわれ革命的マルクス主義者の責務は重かつ大である。戦乱と貧困と強権支配に呻吟する全世界の労働者・人民と連帯して、今春期闘争を断固として推進せよ！　そして今こそ反スターリン主義運動の前進をかちとろうではないか！

註1　日経連（当時）が一九九五年に発表した『新時代の「日本的経営」』で提唱された雇用形態の変更とは、①「長期蓄積能力活用型」（長期雇用の正社員）、②「高度専門能力活用型」、③「雇用柔軟型」（②③は有期雇用または派遣などの非正規雇用）の三つに労働者の雇用形態を分けることであった。

註2　日本独占ブルジョアジーの賃金支払い形態の改悪については、われわれがつとに暴露し批判してきたところである。「職階・職務・職種・職能にもとづく賃金」などの分析については黒田寛一著『賃金論入門』こぶし書房刊、一三〇頁や『労働運動の前進のために』同、一四六頁などを参照のこと。

「連合」指導部の春闘破壊を許さず闘おう

――2・9労働者怒りの総決起集会　第一基調報告――

仲堂静代

2・9労働者怒りの総決起集会に決意も固く結集されたみなさん！　ここに集まった闘う仲間の団結した力で、二〇二〇春闘を戦闘的にたたかいぬこうではありませんか。

二〇二〇年一月二十八日の労使トップ会談において、経団連会長・中西宏明は「連合」指導部にこう突きつけました。「一律賃上げの時代は終わった」「春季労使交渉の課題は、日本型雇用システムの見直しだ」と。これは、春闘をブチこわし、これまで以上に賃金を徹底的に押さえこむ、という宣言以外のなにものでもありません。

これにたいして「連合」会長・神津里季生は語った。「基本的な問題意識は共有しています」と。「高度人材の活用は重要です」「配分交渉で差をつけるのは当然です」と。日本の労働者階級にいっそうの低賃金と労働強化を受け入れさせることを、独占資本家どもに固く誓ったのが「連合」指導部なのです。そのことをゴマカシ・おし隠すためにのみ神津は、〝中小企業や非正規雇用の労働者にも少しは気を使ってください〟と、資本家どもに哀願したのです。

労働者怒りの総決起集会で春闘勝利へ戦列をうち固める（2月9日、東京）

まったく許しがたいではありませんか。

私たちは、労働者に低賃金と労働強化を受け入れさせる場へと二〇春闘をねじ曲げる「連合」指導部を許さず、一律かつ大幅な賃上げを獲得するために、断固としてたたかおうではありませんか。

Ⅰ　賃金抑制と賃金支払い形態改変の攻撃を振り下ろす独占資本家

経団連会長・中西は今春闘にむけて、「一律賃上げ」も「横ならび要求」も時代後れだとくりかえし叫んでいます。〝グローバル化とデジタル化の時代における新たな付加価値創造のために、日本型雇用システムの見直しをめぐってこそ協議すべきだ〟というのです。これこそは、独占体・大企業がさらに莫大な収益をあげていくために、労働者階級にこれまで以上に苛酷な犠牲を強制し徹底的に搾り取っていくという宣言にほかなりません。

ＡＩ（人工知能）やＩｏＴ（モノのインターネット）な

ど最新技術を駆使した、いわゆる〝第四次産業革命〟において、日本の諸独占体は大きくたち後れている。グーグル・アップルなどの巨大情報企業が主導するアメリカや、国家が主導して最先端技術の開発と実用化をドシドシとおしすすめている中国。これらに日本の諸独占体は後れをとっている。独占資本家とその意を受けた安倍政権は、これを挽回し、基幹産業部門における日本の国際競争力を維持するために必死になっているのです。

一方ではAIなどの開発にたずさわるエリート技術者を世界中から獲得し、みずからの望む成果をあげさせるために、これらの労働者には「ジョブ型雇用」と「より成果を重視する賃金制度」と「高度プロフェッショナル制度」を適用しようとしている。その他方でそれ以外の大多数の労働者については、いっそうの低賃金でもってこれまで以上に過酷にコキ使おうとしているのです。そのために独占ブルジョアどもは、「新卒一括採用・終身雇用、年功制賃金」を特徴とした「日本型雇用システム」を破壊しようとしています。正規雇用労働者を非正規雇用労働者に置き換えたり、賃金支払い形態を資本家の意に添って待遇するものへと改めることに必死になっているのです。

独占資本家どもは今春闘にむけては、昨一九年まで語っていた「賃上げのモメンタム(＝勢い)を維持する」という言葉も投げ捨て、「一律の賃上げ」などは絶対に認めないという態度を労働組合に突きつけています。〝頑張った者が報われる〟という名において、「仕事・役割」と「成果」に応じての賃金支払いをさらに徹底しようとしています。企業への貢献が少ないと経営者がみなした労働者には、容赦なく賃下げの攻撃を振り下ろそうというのです。これを許したならば、労働者はさらなる低賃金に突き落とされるとともに、たえず「スキルアップ」と、いっそうの労働強化を強制されることになるのです。

事業再編のもとでの首切り・配転・出向・転籍の嵐

いわゆる「グローバル化とデジタル化」のもと、独占体・大企業間の競争が全世界で激烈に展開されています。そのなかで、日本の大独占体は製造業やサービス業などの業種の壁をこえて事業構造の再編にうってでています。トヨタ自動車の経営陣は、自動運転や電気自動車などの技術開発と製品化で海外諸企業に先んじるために、ソフトバンクやウーバーなどのＩＣＴ（情報通信技術）企業と提携をはかっています。独占資本家どもは、既存の工場を閉鎖したり、あらたな分野をたちあげたりするために、労働者にたいして遠隔地や異なる職種への配転、子会社や提携する他社への出向や転籍を強制しています。これらは事実上の首切りでもあります。しかも、希望退職や指名解雇など文字どおりの首切りもが熾烈に振り下ろされているのです。

独占資本家どもは、みずからの事業再編にあわせて、サプライチェーンを構成してきた下請けの中小・零細企業にたいして、生産性向上と納入価格の切り下げ、さらにあらたな技術の開発を迫っています。この要求についてこれない、とみなした企業はバッサバッサと切り捨てているのです。中小企業経営者たちは、この大企業の要求を満たすために、労働者にいっさいの犠牲を強制しています。異なる製品生産への転換やそのための工場移転や工場閉鎖、これらにともなう労働者への配転・出向・転籍の強制、そして指名解雇をも強行しているのです。残った労働者には、「スキルアップ」の名のもとにあらたな技術の体得を、またよりいっそうの長時間労働や労働強化を押しつけているのです。

中小企業で働いている私たちの仲間の職場の現実を紹介します。

ある仲間の職場では、これまでの製品の生産縮小にともないラインから外された多くの労働者が「余剰人員」とレッテルを貼られ、有無をいわさず、遠隔地の工場に出向させられました。他の仲間の職場では、生産性を向上させるためにコンピュータによる生産管理が徹底されました。経営者はこれにともなう混乱の責任を労働者に押しつけ、その解決のために工夫せよと工程の改善を強制しています。このゆえに、労働者たちはさらなる労働強化に苦しめられているのです。

別の仲間の職場では、いま工場閉鎖の攻撃がしかけられています。経営者は売れなくなった製品に見切りをつけて、これまでとはちがう業種の企業に変えようとしているのです。工場を地方に移転し、生産設備・工程をあらたにつくっています。そして経営者は、工場を閉鎖するために大量の仲間に指名解雇を通告してきました。労働者を一人ひとり呼びだし、次々と解雇を通告しています。わが仲間は、職場の労働者とともに、経営者にたいして断固反撃の闘いを創造しています。

II 「連合」指導部の大裏切りと闘う労働者の奮闘

資本家どもがありとあらゆる犠牲を労働者に強いているにもかかわらず、これに全面的に協力しているのが、神津や事務局長・相原康伸ら「連合」指導部を牛耳る大企業労組の労働貴族です。多くの労働者が、低賃金と苛酷な労働への怒りに燃えて今春闘をたたかおうとしている。にもかかわらず、労働貴族どもの大裏切りのゆえに、今春闘は、競争力強化・生産性向上のための、各企業ごとの労使協議へとねじ曲げられているのです。

かつては春闘相場のリード役であった自動車総連

は、「上げ幅」の「要求基準」をいっさいうちだしていません。トヨタ労組指導部は、「メリハリのある配分」と称して、人事考課にもとづいて賃上げに差をつけることを、なんと労働組合の側から要求しています。電機連合は「妥結における柔軟性を認める」と決定し、形ばかり残されていた「統一回答・統一妥結」を最後的に捨てさりました。

　まさに労働貴族どもは、全国の労働組合が「産別勢揃い」でたたかうという戦後日本の賃金闘争＝春闘方式を最後的に放棄し破壊したのです。歴史的大裏切りと言わずして何と言うのでしょうか。経団連・中西につき従って、春闘を企業の発展・競争力強化のための労使協議・経営協議の場に変えようとしているのが「連合」指導部なのです。絶対に許してはなりません。

　ここに結集している私たちたたかう労働者はいま、あらゆる産別・職場において、こうした「連合」指導部の春闘破壊――賃金抑制、労働強化、首切り・配転への協力を許さず、一律かつ大幅な賃上げを獲得するために奮闘しています。わが仲間たちは、労働貴族どもによる闘いの抑圧に抗して、職場討議をまきおこし、労働者の怒りを組織し要求をとりまとめるために奮闘しています。組合組織を強化しつつ、また組合のない職場では創意工夫を凝らして、賃金闘争を戦闘的に創造するために全力でたたかっているのです。

すべてのみなさん！「連合」指導部による大裏切りを許さず、今春闘を戦闘的に高揚させるために奮闘しようではありませんか。

Ⅲ 「連合」指導部による〝格差賃金容認・賃下げ容認〟を許さずたたかおう

(1) 一律かつ大幅な賃上げを獲得しよう

結集されたみなさん！

われわれ日本の労働者の実質賃金は、この十年間で一三％も低下させられています。賃下げも首切りも容認するという「連合」指導部の裏切りのゆえに、春闘が年々大敗北させられてきたからです。そのうえに安倍政権は、消費税を一〇％に増税しました。さらに彼らは社会保障の負担増と給付の削減に突き進んでいます。今こそ労働者階級の総力を結集し、一律かつ大幅な賃上げをかちとるためにたたかおう！

「連合」指導部は今年の春闘では、「上げ幅要求」をいっさい掲げようともしていない。「賃上げ闘争」ではなく「賃金水準闘争」などという耳なれない言葉を使いはじめています。まさに彼らは、労働者全体の賃上げをかちとることを、いまや完全に放棄しているのです。「連合」指導部による賃金闘争の放棄・破壊を怒りに燃えて弾劾しよう！

「連合」指導部は、「底上げ」と称して「二％」という数字を掲げています。だが、会長の神津は「統一要求の縛りをかけることはむずかしい」と語っています。ここに、彼らの悪辣な意図は明白ではありませんか。すなわちこの「二％」なるものは、「連合」傘下諸労組がのっとるべき「基準」などではまったくない。「上げ幅要求」の放棄＝賃金闘争の放棄をゴマカスための煙幕以外のなにものでもないのです。

しかも「連合」労働貴族は、「働きの価値に見合った賃金」などと語っています。「働きの価値」というのは、企業にどれだけの付加価値をもたらすか、という観点から労働者を評価するものなのです。まさに資本家どもが、「人事評価」を賃金により反映させようとしていることに呼応するものです。資本による労働者の分断も、「仕事・役割」や「成果」の評価にもとづく格差賃金も、資本家が〝役に立たない〟とみなした労働者には賃下げすることまでも容認するものなのです。

いまや「連合」指導部は、統一した要求を掲げ統一した戦闘配置や闘争形態をとって全労働者階級の賃上げをかちとるためにたたかうという、春闘方式を最終的に投げ捨てたのです。それは、「連合」指導部を牛耳っている大企業労働貴族どもが、独占資本家に呼応して〝産業・企業の成長につながるようにそれぞれの企業の実情に応じて労使協議すればいい〟という考えに染まりきっているからなのです。激烈化する国際競争のなかで、日本の諸企業がこれにうち勝っていくことを独占資本家と一心同体になって切望し、これを絶対的な基準として労使交渉に臨んでいるのが「連合」指導部を牛耳る労働貴族どもなのです。〝労働者階級の敵〟以外のなにものでもありません！

まさに、日本労働者階級に君臨する「連合」指導部は、賃金闘争を最後的に放棄し破壊しているのです。「連合」指導部による春闘の〝競争力強化・生産性向上のための労使協議〟への歪曲を許さず、「一律大幅賃上げ」をかちとるためにたたかおう！

他方、共産党中央に盲従する「全労連」の組合指導部は、職場から賃上げをかちとるためにたたかうことを放棄しています。大企業に「内部留保の社会的還元」をお願いしたり、政府・国会に「全国一律最低賃金制度」の創設を要請したりすることに闘いを解消しているのです。政府への要請のための「世論づくり」に組合員をひきまわすものであり、組合の団結を職場からつくりだしてたたかうこととは無縁のものなのです。「全労連」中央による賃金闘争の「最低賃金制度づくり」への歪曲・解消を許さずたたかおう！

独占資本家どもはいま、ＡＩなどの最新の技術諸形態を生産過程・業務過程・流通機構にドシドシ導入しています。これによって大量の労働者が「余剰人員」として街頭に放りだされている。残された労働者はＡＩ機器を使いこなせるようにたえず「スキルアップ」を強いられ、いっそうの労働強化に追いこまれている。ロボットなどのＡＩ機器を駆使する労働過程では、「人間が機械を使用するのでなく、逆に機械が人間を使用する」という資本制的な労働の疎外が極限的に深まっています。

　にもかかわらず「連合」指導部は、〝「国際競争」にうち勝つためには、ＡＩ合理化の促進は絶対に必要だ〟と資本家どもに唱和している。「全労連」中央は、「ＡＩは労働者の肉体的・精神的負担を軽減するのに役だつ」などと、現に独占資本家的目的にのっとって開発され使用されているＡＩが〝労働者のためになる〟かのような幻想をふりまき、事実上その導入を尻押ししているのです。このような既成の労働運動指導部の誤った態度を批判し、ＡＩを駆使した〝二十一世紀現代の合理化〟に反対し、労働強化を許さない闘いをあらゆる職場からまきおこそう！

　さらに私たちは、大企業・中小企業を問わずしかけられている、「事業再編」にともなう首切り・配転・出向・転籍を打ち砕くために奮闘しようではありませんか。

　「連合」中央は、独占資本家どもと同様に、〝「産業構造の変化への対応」は、日本経済の競争力を維持し高めていくために必要だ〟と主張しています。事業再編にともなう解雇を「離職」などと呼び、「離職」した労働者は次の仕事に必要な「スキル」を身につけるためにみずから努力せよ、と説教しているのです。そのために職業訓練校や職業紹介事業の充実を、安倍政権や独占資本家どもに要請しているにすぎないのです。まったく頭にくるではありませんか。

　仲間とともに、いま事業再編の荒波にたちむかって、強く思います。われわれたたかう労働者じしんが、工場閉鎖や解雇の攻撃に怒り、みずからを奮いたたせ労働者の団結をつくりだしてたたかわないかぎり、労働者の未来はないのだ、と。リストラを容認し解雇に反対する闘いにとりくみもしない「連合」中央を弾劾しのりこえて、工場閉鎖を許さず出向・転籍や首切りに反対する闘いを、職場から断固として創造しよう！

(2) 安倍政権の労働法制改悪・大衆収奪強化反対

たたかう仲間のみなさん！ 安倍政権が独占資本家どもの要請に応えて成し遂げようとしている労働法制の改悪にも、反対していこうではありませんか。

「雇用によらない働き方」と彼らが呼ぶ「個人請負」が急速に拡大させられています。実態は雇用労働者でありながら「個人事業主」とされ、労働基準法の適用対象外であり、労災保険も雇用保険もいっさい適用されない無権利状態に叩きこまれているのです。しかも多くは、最低賃金以下でコキ使われているのです。このような働かせ方の拡大、安倍政権によるその尻押しに断固反対しましょう。

「副業・兼業の推進」なるものもたくらまれています。厚生労働省は、ダブルワークをする労働者については「労働時間を事業所ごとに管理し、通算しない」という案をだしています。「過労死ライン」を越える残業の強制になんの規制もない、割り増し残業代もない、こんな「副業・兼業の推進」に反対しましょう。

一昨年(二〇一八年)に、みずからのデータ偽造という犯罪が発覚して断念に追いこまれた「裁量労働制の適用対象の拡大」を、安倍政権はまたしても成立させようと狙っています。絶対に阻止しよう!

政府は、「収入の低い若者が日雇い派遣で副業ができないのは問題だ」などと盗っ人猛々しく語り、低賃金の労働者の味方ヅラをして「日雇い派遣」の規制緩和に道を開こうとしています。そもそも「日雇い派遣」の制限は、あまりの不安定雇用に抗議する労働者の闘いが政府に強制してきたものです。これを今このときに緩和するなどもってのほかです。断固反対しよう!

さらに政府は、「金銭救済制度」などという名前をかぶせ、労働者のためであるかのように装って、金銭で解雇に応じさせる「解雇の金銭解決制度」をなんとしても成立させようと機をうかがっています。事業再編・業界再編にともない、大量の労働者を切り捨てていくことを支援するためのこの法整備を断じて許してはなりません。

安倍政権は昨年十月に、労働者・人民の反対の声を無視し、とりわけ低所得者に多大な負担を強いる消費税税率の一〇%への引き上げを強行しました。これにとどまらず、いま彼らは「全世代型社会保障」の名において、社会保障の負担増と給付削減を一挙におしすすめようとしています。軍事費のウナギ登りの増大と大企業むけ減税の相次ぐ強行、その財源をまかなうために強行されている大衆収奪の強化を、怒りをもって打ち砕こう!

安倍政権の中東派兵・日米軍事同盟強化・憲法改悪に反対しよう!——これについては、第二報告に譲ります。

(3) 今日版産業報国会としての本性を剝き出しにする「連合」の脱構築を

いま労働貴族どもに率いられた「連合」は、今日版「産業報国会」としての本性をますます剝き出しにしています。

一九八九年、スト権ストなど旧総評の戦闘的労働組合の闘いを根絶やしにすることを熱望した独占資本家どもの期待を受けて「連合」は結成されました。以後三十年、「連合」はJCメタルなどの労働貴族の主導のもとに、つねに労働者階級を裏切り・その利害を独占資本家に売り渡してきたのです。

バブル経済崩壊以後に、独占資本家どもがしかけてきたいわゆるリストラの名による大量の首切り・出向・配転の攻撃に、労働貴族どもはことごとく協力してきました。また〝デフレ経済〟下の賃金抑制策にたいしても、独占資本家どもの「経済整合性」論や「支払い能力」論、さらに「トリクルダウン」論などのニセ理論に唱和し、つねに賃上げ自制に努めてきたのが彼らです。「成果主義賃金」の導入や「仕事・役割、貢献度」重視の賃金制度の創出にも協力し、実質賃金のうちつづく低落や格差拡大の片棒を担いできたのです。

イデオロギー的には、独占資本家どもが注入してきた「労使運命共同体」思想に完全に染まりきり、今日では企業の発展を第一義として、労使協議に没入しているのが、「連合」労働貴族なのです。

すべてのみなさん！「連合」指導部の裏切りを弾劾し、今春闘を戦闘的に高揚させよう！各組合・職場からたたかう団結をうち固め、組合組織の強化をかちとろう！今こそ今日版「産業報国会」としての本性を剥き出しにする「連合」を脱構築するために奮闘しよう！

一九九一年に「社会主義」を自称していたスターリン主義ソ連邦が自己解体的に崩壊して以後、「共産主義の終焉」「マルクス主義の死滅」のデマゴギーを撒き散らしつつ、全世界で独占ブルジョアどもの暴虐が吹き荒れてきました。そのもとで、「古典的階級分裂」ともいうべき階級対立の先鋭化が、まさにグローバルにおしひろげられてきたのです。労働者・勤労人民の貧窮の深まりと物質的・精神的疎外の深化・深刻化。……今こそ労働者階級としての団結を創造し打ち鍛え、反撃の闘いをつくりだそうではありませんか！今二〇春闘をその一大転機たらしめるために、ここに結集した仲間たちはその先頭にたって断固奮闘しよう！ともにたたかおう！

中東派兵反対・日米核安保同盟の強化反対！　改憲を阻止せよ

――２・９労働者怒りの総決起集会　第二基調報告――

東　雲　　努

労働者怒りの総決起集会に集まられたすべてのみなさん、こんにちは。私は自治体労働者です。

首相・安倍晋三は、自衛隊Ｐ３Ｃ哨戒機の派遣に引き続き、二〇二〇年二月二日には護衛艦「たかなみ」を中東へ派遣した。徹底的に弾劾しよう！

横須賀現地においては、平和運動センターの呼びかけで抗議集会が開催されました。日教組や自治労をはじめとする労働組合が結集しました。わが仲間たちも組合の仲間と一緒に集会に結集し、「派兵反対」「憲法改悪反対」と、声の限りを尽くしてシュプレヒコールをあげてきました。現地闘争に決起した全学連の学生とともに、たたかってきました。

安倍政権は、アメリカのトランプ政権につき従い、日本国軍である自衛隊をアメリカ軍と一体化させ対イラン軍事行動に参加させると腹を固めて、派兵を強行したのです。断じて許すことができない。私は〝なんとしても安倍政権を打倒するぞ〟と決意をあらためてうち固めました。

すべてのみなさん、われわれは、日本国軍が中東で米軍の対イラン軍事行動に参戦することを絶対に阻止しよう。この闘いを、日米核安保同盟の強化反対、憲法改悪反対と一体のものとしておしすすめようではありませんか。

中東派兵と安保の強化、改憲に突進する安倍政権

安倍政権は、ホルムズ海峡の目と鼻の先にあるオマーン湾・アラビア海・アデン湾に日本国軍の出撃を強行しました。

安倍は「有志連合には参加しない」と、ぬけぬけと言っています。とんでもありません。現に防衛大臣・河野太郎は、事あれば海上警備行動を発令する、その「地域を限定しない」、ペルシャ湾に行くことも排除しないと国会で断言しているんです。みなさん、「海上警備行動」を発令するということは、武力を使うということですよ。

安倍政権は、すでにバーレーンのアメリカ軍司令部に自衛官を常駐させ、イラン対岸のＵＡＥ（アラブ首長国連邦）には「たかなみ」の補給基地を確保しています。アメリカに安保条約の鎖で締めあげられている「属国」の首相・安倍は、日本国軍を米軍の補完部隊として派兵したのです。

みなさん、安倍政権が日本国軍を出撃させた中東は今、何をきっかけとして戦争が勃発するか分からないほどに緊迫しています。

アメリカ・トランプ政権は、イラン革命防衛隊司令官ソレイマニを爆殺した。この国家テロにたいしてイランは、したたかで緻密な「報復」攻撃をおこない、イラクやレバノンのシーア派武装諸組織は米軍たたきだしの武装闘争を開始した。イランとイラクのシーア派人民が数十万人の反米デモをくりひろげている。アメリカ帝国主義の中東支配が終焉に近づいているのです。

昨二〇一九年末には中国・ロシア・イランの三ヵ国が、アメリカ主導の有志連合に対抗して、初めて

の合同海上軍事演習をオマーン湾においておこなっています。いまや中国・ロシア両権力者が、中東において親シーア派反米国家イランを政治的・軍事的に支えるかたちで、没落した軍国主義帝国アメリカの前に公然と立ちはだかっているのです。中国は、UAEに軍事転用も可能な港をつくっている。ロシアも急速にシリアに影響力を拡大している。そのゆえにトランプは、中東からひくわけにはいかず米軍の増派にのりだしているのです。

中東において、中国・ロシアの両権力者がイラン権力者と公然と結託し、アメリカと軍事的に対峙しています。このアメリカ、中国、ロシアの三ヵ国は、大量の核兵器を持っている核大国なんですよ！　中東における戦火の噴出は、即第三次世界大戦、熱核戦争の導火線となりかねないのです。戦争勃発の危機が日々高まっている。この一触即発の中東へ安倍は自衛隊を派兵したのです。ひとたび戦争が始まれば、日本国軍はアメリカ軍の指揮下に入り参戦することになる。許せません！

中国・習近平政権は、アメリカを追い越し〝世界で唯一の超大国〟にのし上がることを国家目標に掲げ、政治的にも軍事的にも経済的にも、あらゆる部面でアメリカを追い抜こうとしている。ロシア・プーチン政権とは、事実上の軍事同盟を結んでいる。これにたいして没落帝国主義のアメリカ・トランプ政権は、日本の安倍政権を従えて、中国・ロシアを主敵とした軍事同盟のさらなる強化に狂奔している。

すでにトランプ政権は、中国・ロシアが「極超音速新型ミサイル」を開発・配備していることに対抗するために、中距離核ミサイルを日本全土に配備する意志を固めている。日本全土を中国とロシアを押さえこむための最前線核基地にするということだ！　これを唯々諾々と受けいれようとしているのが安倍政権だ。

このアメリカ「属国」の安倍政権は、辺野古の米軍新基地を海兵隊の出撃基地としてなんとしてもつくりあげるために工事を強行している。軟弱地盤が見つかっても、工法を見直してまでつくろうとしている。これにたいして学生、労働者、市民が建設阻止の闘いを連日連夜たたかっている。安倍政権は、この不屈の闘いにたいして暴力的な弾圧を加え、工事を強行しているのだ。

　しかもこの政権は、アメリカの言い値で最新鋭ステルス戦闘機やイージス・アショアなど超高額なア

沖縄の労学が工事車両進入阻止の闘い（２月20日、辺野古）

メリカ製兵器を爆買いしている。〝思いやり予算〟という名の米軍駐留経費の増額をトランプは要求している。日本の負担分を〝四倍にしろ〟と吹っかけてきているのだ。この要求に飼い犬よろしく尻尾を振って応えようとしているのが安倍政権だ。

　この政権は日本の軍事予算も大幅に増額している。経済対策・災害復興対策と称している一九年度補正予算に防衛関連の費用を過去最高となる四二〇〇億円、二〇年度予算案にもこれまた過去最高の五兆三〇〇〇億円を上回る額を計上しているのだ。

　トランプ政権につき従う安倍政権は今、日米新軍事同盟を飛躍的に強化し、これを基礎として〝世界中のどこででもアメリカとともに戦争をやれる〟軍事強国へと日本を飛躍させることを狙っている。そのために、そして〈軍国日本〉を再興させるために、憲法改悪に突き進んでいるのだ。その核心は、現行憲法第九条をなきものとすることなんです。

　安倍後援会や自民党運動員を公費で接待した「桜を見る会」問題や〝IR（カジノを含む統合型リゾー

ト施設)疑獄〟などにたいする労働者・人民の怒りの声によって、政権基盤が揺らいでいる安倍政権。そうであるからこそこの政権は、政権幹部、自民党員を総動員して〝草の根からの改憲運動〟を必死になってつくりだそうとしているのだ。

自民党の改憲案は、現行憲法第九条の「戦争の放棄」および「戦力及び交戦権の否認」はそのまま残していますす。しかし、じつはそれを葬りさるために、あらたに九条の2として「国及び国民の安全を保つために必要な防衛の措置をとる」、そのために「自衛隊を保持する」という文言を加えているのです。なんとしても自衛隊を憲法に明記しようとしているのが安倍なのです。

それだけではありません。あらたに「緊急事態条項」なるものをつくろうとしている。政府が〝緊急事態だ〟と宣言しさえすれば、法律と同等の効力をもつ政令を制定することができる絶大な権限を首相に与えるというものなのです。

いま新型肺炎の感染が拡大しているこの機に乗じて、「緊急事態条項が必要だ」と自民党の伊吹文明や下村博文が叫んでいます。この「緊急事態条項」は自然災害やパンデミック(感染症の大規模流行)に備えたものであるかのようにおしだされていますが、もちろん違います。安倍政権は、戦争にうって出ていくときにこそ「緊急事態」を宣言し、労働者・人民の反対を押さえこみ、彼らを戦争に動員するためにこそ創設しようとしているのです。

そして子供たちを、日本国家の発展のために尽くす「愛国心」と能力をもった国民としてつくりだすために、「国は教育を充実させるのだ」と憲法に明記しようともしている。

みなさん、安倍が成立をたくらむ憲法は、正真正銘のネオ・ファシズム憲法ではありませんか！

大衆収奪の強化に狂奔

このように安倍政権は、トランプ政権の言いなりになって軍事費を大幅に拡大させている他方において、社会保障費を削減することをたくらんでいる。安倍が「今国会の最大のチャレンジだ」とほざいた

「全世代型社会保障制度改革」がそれだ。

安倍は、国会で「七十歳までの就労機会を保証する」と表明した。冗談ではない！　それは、「少子高齢化」による労働力不足を打開するために〝死ぬまで働け〟ということだ。社会保障については、〝国に頼るな、働いて税金と保険料をたんまり支払え〟ということなのだ。

年金の支給開始年齢を引き上げ、「後期高齢者」の医療費自己負担を引き上げることを突破口に、医療・介護・年金など社会保障の給付を削減して自己負担を増大させるという、全面的な改悪を画策している。昨秋、消費税税率を一〇％に引き上げ労働者・人民を貧窮に突き落としておきながら、さらに追い討ちをかけているのが安倍政権なのだ。許せないではないか！

春闘をたたかいぬく決意固める労働者（２月９日、東京）

日本型ネオ・ファシズム支配体制の強化の策動

それだけではありません。いま私たちは、オリンピック・パラリンピックを口実にした治安弾圧体制の強化にも反対しなければなりません。

安倍政権は、「テロ対策」を口実として、日本全国津々浦々に、監視カメラや顔認証システムを張り巡らしています。これはまさに、一億総監視社会そのものではありませんか。

いま安倍政権は、内閣人事局をつうじて官僚機構を統制し、ＮＳＣ（国家安全保障会議）で決定した諸政策を強引に貫徹する構造をつくりだしている。行政府がすさまじく突出し、立法府は政策をたんに追認するにすぎない翼賛議会と化している。まさに強権的なネオ・ファシズム支配体制が構築されている。この国家による国民総監視体制の監視と弾圧の矛先は、私たちたたかう労働者・学生に向けられているのだ。断固粉砕しよう！

安倍政権が、この監視体制に不可欠のものと位置づけているのが、マイナンバー・カードなのです。安倍政権は、マイナンバー・カードを、労働者・人民の資産を国が漏れなく把握するために預貯金口座と強制的にリンクさせたり、労働者・人民の一人ひとりの行動をつかみ監視するために全国に張り巡らせた監視カメラや顔認証システムともリンクさせたりしようとしている。

しかし、たたかう労働者・学生の奮闘に支えられて多くの労働組合が反対している。このゆえに、マイナンバー・カードは全国民の一五％程度にしか普及していない。業を煮やした政府は、マイナンバー・カードを取得するときにポイントをつける、健康保険証や介護保険証とも一体化すると、あの手この手で普及に躍起になっている。

特に自治体の労働者を、マイナンバー・カードの普及率を上げるための〝いけにえ〟にしようとしている。年四回もの取得状況の実態調査を実施するだけではなく、管理職は人事考課の面談で、「なぜマイナンバー・カードを取得しないのか？」と問いただし、労働者にカードの取得を強要している。マイナンバー・カードを職員の身分証明書として使わせはじめてもいるのだ。

安倍政権による改憲策動を下支えする「連合」指導部

いま、ＮＳＣの専制体制のもとで奢りたかぶってきた安倍とそのとりまきどもの腐敗が、連続的に暴露されている。見よ！　安倍政権による「桜を見る会」関連公文書の廃棄・隠蔽・改竄工作を。労働者・人民の弾劾の嵐にさらされ政権基盤をガタガタに揺さぶられているからこそ、安倍はこれをのりきるためにも、みずからの手で憲法改定をなしとげるために、今国会において憲法審査会の論議をなにがなんでも加速し、早く審議を終了させ、改憲案発議にもちこむことに必死なのだ。

このような切迫した状況下で、「憲法論議自体は否定しない」と平然と表明しているのが「連合」神津指導部だ。追いつめられ、あえぎながらも改憲をなしとげようと必死の安倍に、労働貴族どもは救いの手を差し伸べているのだ。

「連合」労働貴族どもの悪行はこれにとどまるものではない。昨一九年十月の定期大会において、「連合」がとりくむ運動を、積極的にとりくむ「重点分野」と、とりくむ気のない「推進分野」とに振り分けた。「連合」指導部は、「平和の課題」を後者の「推進分野」に位置づけ、運動にとりくまないということをはっきりと意思表示したのだ。

それだけではない。地方「連合」組織を財政的に締めつけ、中央の統制を強めようとしているのが「連合」指導部なのだ。戦闘的・良心的な労働者の下からの突き上げに支えられて各地方「連合」がとりくんでいる沖縄辺野古新基地建設反対などの反基地や原発反対の闘いを抑圧するためであることは明らかだ。いまこそ、労働組合を強化し、反戦、改憲反対の運動にとりくんでいかなければなりません。

いま「連合」の内部では、たたかう仲間たちが「連合」指導部による抑圧に抗して、日夜奮闘しています。

安倍政権は、日本を世界で戦争ができる国にするために憲法を改悪しようとしていること、そして「連合」指導部がその片棒を担いでいること、これに反対すべきことを、組合員たちと膝詰めで論議しています。たたかう仲間たちは組合執行部を下から突き上げ、組合員たちとともに国会前行動などに組合として参加してきています。

二〇春闘の戦闘的高揚をかちとろう！

すべてのみなさん、私たちは本二〇春闘の戦闘的高揚をかちとるために、全力で奮闘しようではありませんか！ ＜一律大幅賃上げ＞を獲得しよう！ 憲法改悪阻止・中東派兵反対！ 大衆収奪の強化に反対する闘いの大爆発をかちとろう！

中東派兵・日米核安保同盟の強化そして憲法大改悪の三つの攻撃は密接不可分な一体の攻撃であるがゆえに、＜日本国軍の中東派兵反対・日米新軍事同盟の強化反対・改憲阻止＞を一つの闘争課題としてたたかおう！

中東派兵反対！ 日本の参戦を絶対に許すな！ 日本全土への対中国の核ミサイル配備を許すな！ イージス・アショア配備反対！ 辺野古新基地建設を断固阻止しよう！

米—中・露の激突のなかでいま日本帝国主義は、軍国主義帝国アメリカに隷従し、どこまでも運命を共にすることを強いられている。これを決定しているのが、日米安保同盟という〝首輪と鎖〟だ。この「安保の首輪と鎖」を断ち切らないかぎり、日本はトランプのアメリカと心中する道をすすみ、労働者・人民はトランプ政権に血税を献上することを安倍政権によって強いられてゆくことになるのだ。

いまこそ私たちは日米安保条約の破棄をめざしてたたかおうではありませんか！

憲法改悪を絶対に許すな！

「安保の首輪と鎖」を断ち切り憲法改悪を阻止するには、労働組合を強化し労働者の団結を強めることぬきにはなしえない。職場生産点から改憲阻止・反戦反安保の階級的な団結の力を創造しよう！

消費税増税・社会保障制度の大改悪を許すな！

安倍政権の大衆収奪強化を許さず断固たたかおう！

国家財政を軍事費と米軍への思いやり予算に湯水のようにつぎこみ、独占資本家どもには法人税の優遇そして労働者・人民には収奪を強め・貧困を強制する安倍政権を絶対に許すな！

ＮＳＣの専制体制の強化を許すな！　労働組合破壊攻撃を打ち砕け！　日本型ネオ・ファシズム支配体制の強化に反対しよう！

「連合」右派指導部は、改憲反対の取り組みを一切おこなおうとしない。いや、平和フォーラム系諸労組の「反戦平和」「改憲反対」の取り組みを抑圧しさえしている。この「連合」指導部を弾劾し、「連合」を下からつくりかえるために奮闘しよう。

「全労連」の共産党系指導部は、安倍政権による画歴史的攻撃にたいして労働組合を主体としてたたかうことを放棄している。「市民と野党の共闘」を自己目的化して「反安保」を掲げることを完全に放棄しているのだ。来る総選挙にむけて「野党統一候補」の票田開拓に労組員を引き回す「全労連」の共産党中央に盲従する指導部を弾劾しよう！

改憲反対闘争を抑圧する「連合」指導部並びに議会主義的腐敗を極める「全労連」指導部をのりこえ、たたかう仲間たちはナショナルセンターの枠を超えた労組共同行動を創造し、「改憲阻止、中東派兵反対」の闘いを「反安倍政権」へと集約しよう。

いまこそ労働者階級を中軸とした反ファシズム統一戦線の結成をかちとろうではないか。

安倍政権打倒に突き進め！

郵政春闘の戦闘的高揚を切り開け

ＪＰ労組本部の〝事業危機突破〟春闘への歪曲を許すな

溝江伯山

二〇二〇年一月に就任した社長・増田寛也ら日本郵政の新経営陣は、「かんぽ営業」問題による「事業危機」を叫びたて、賃金抑制攻撃を一気に強めている。それだけではない。〝事業再建〟のためと称してリストラ・合理化攻撃にうってでようとしている。

これに応えてＪＰ労組本部は、賃上げ獲得を完全に放棄しようとしている。労働苦・生活苦にあえぐ郵政労働者への大裏切りではないか。しかも彼らは、経営陣のお先棒をかつぎ、地域基幹職の主任以下の賃金を引き下げて低賃金の一般職（郵政版地域限定正社員）と統合する「人事・給与制度」の大改悪に加担しようとしているのである。これを絶対に許すな。

革命的・戦闘的労働者は、本部の「事業救済」のための春闘への歪曲をのりこえ、「一律大幅賃上げ獲得！　人事・給与制度の改悪反対！」を掲げて郵政春闘の戦闘的高揚をかちとるために奮闘しようではないか。

Ⅰ　〝事業存続の危機〟を口実にした経営陣の賃金抑制攻撃と本部の呼応

（1）営業停止・業務改善命令を受けた増田経営陣は、「創業以来の事業危機」を叫ぶとともに、「民営化を前に進める」などと〝事業再建〟に向けて突き進んでいる。そのために郵政経営陣は、郵政労働者の頭上に賃金抑制攻撃を振りおろしている。経営陣は、「かんぽ営業」問題での行政処分を契機に、JP労組本部を抱きこみながら「綱紀粛正」を全社員に強いて、〝事業危機突破〟に駆りたてている。郵便物流事業における中間期決算で初めて黒字（二八三億円）を計上したにもかかわらず、各事業のシステム変更や不動産開発に巨額の資金を投じ（三年間で一兆円）、また株主への配当は十分確保したうえで、労働者にはベースアップゼロ、一時金の大幅削減の賃下げ攻撃を容赦なくうちおろしているのだ。それだけではない。

経営陣は、超勤を徹底的に削減するために、かかった人件費総額に占める超勤比率が高い部署（郵便窓口、通常配達、道順組立、集荷、計画など）を洗いだし、その担務の超勤を削減しろと号令している。各部署を統括する班長にたいして、欠員状態で業務のやりくりを強制し、そのうえで「月三〇時間以内、前年を越えるな」と班員の超勤実績を日々管理することを強いている。さらに、一つの班が受けもつ配達区の業務に必要な人員配置を意図的に無視して欠員状態になることを承知のうえで、超勤の少ない局（または班）から多い局（班）へ労働者を強制配転させている。

経営陣は、リストラ・合理化諸攻撃を各事業部門にうちおろしている。彼らは、郵便物流事業においては郵便物の減少を見越してネット通販から出される小荷物などの分野へ進出する経営戦略をとり、小荷物分野で設備投資をジャブジャブおこなっている。郵便内務部門においては、次世代区分機の導入を基礎に郵便物の集中処理を拡大するとともに、増加する小荷物を区分処理するパケット区分機を新たに導入している。これによって郵便内務労働者を徹底的に削減（＝首切り）し、強制配転、労働強化を強いている。集配部門では、四輪車で荷物の集荷作業をしていた労働者を「リソースの活用」と称して、集配体制における単位労働組織である班に組みこみ、二輪車と四輪車とを効果的に運用して配達する体制の構築を急いでいる。また「テレマティクス」と呼称する新技術（二〇二〇年中に二万五〇〇〇台のスマートフォン端末を配備）を導入し、配達労働の〝効率化〟と労務管理の強化を追求している。さらに、次世代区分機による定形郵便物の道順組立（2パス区分）の精度を向上させ、集配労働者による手区分・道順組立作業を省いて配達に出発させるという作業の効率化（通称・チョクモチ）を強制し、室内作業を短縮し、その分、配達時間延長を追求している。

まさに経営陣は合理化攻撃に血道をあげ、労働者に首切り・配転・労働強化をよりいっそう強い、「人件費負担」となる人員増や賃上げに応じるつもりなど毛頭ないのだ。さらに経営陣は、総額人件費を削減するために、JP労組本部から提案させるという形式をとって、正規・非正規を問わず人事・給与制度の大改悪にのりだそうとしているのである。

（2）新経営陣は、かんぽ生命の営業を早期に再開するために、「かんぽ営業」問題を法令違反や社内ルールを犯した一部の現場労働者に責任を転嫁して、彼らを処分することで決着しようとしている。経営陣は、みずからが作成した経営方針を金融渉外・窓口労働者に押しつけ、高齢者を対象にした保険販売を強制し、膨大なノルマを課し、これを達成できない労働者にはパワハラ研修で恫喝し、精神疾患や退職に追いこんだではないか。

経営陣は、少しでも営業収益を拡大するために、一万五〇〇〇人いる金融渉外労働者を一万人に削減したうえで、これまで保険を専門に販売していた金融渉外労働者に「『総合的コンサルティング・サービス』への変革」などと称して、ゆうちょ銀行などの金融商品全般を一体的に販売させようとしている。

経営陣は、かんぽ生命や郵便局の顧客離れが進み、しかも医療保険などに特化した新たな保険の販売には規制があるなかで、営業収益を維持・拡大するためには〝低コスト構造の組織〟への改変が不可欠だ、と考えているのだ。そのために彼らは、かんぽ生命では、事務部門をいっそうICT化することで徹底的に人員を削減しようとしている。

窓口部門では、「郵便局ネットワークの将来像」などと称して、コスト（人員）削減するために、二万四〇〇〇の郵便局の統廃合や営業日や営業時間の短縮などを策している。これによって、窓口労働者は、複数局を兼務させられ、いっそう労働強化や労務管理強化を強いられるのだ。

金融渉外・窓口労働者は、営業再開に向けて「お客さま本位の営業活動の徹底」「募集品質の向上」などと称する研修が次々に実施され、極限的な労務管理強化にたたきこまれている。

経営危機をのりきるために労働者に一切の犠牲を転嫁する経営陣に、「金融営業の抜本的な改革」などと称して、積極的に呼応しているのが本部労働貴族どもなのだ。

（３）ＪＰ労組本部は、「連合方針に則った基本賃金の改善要求を組み立てる」とはいうものの、かんぽ問題を口実にした経営陣の綱紀粛正の号令に歩調を合わせて、「要求を掲げることは世間が許してく

「れるのか」などと吹聴し、「賃上げは無理」とばかりに下部役員・組合員に「自粛」を強制している。

彼らは昨春闘では情報の共有と称して「春闘NOW」を六十回以上も発出していたのに比して、今年はまだたったの二号しか出していないほどなのだ。

本部は、地域基幹職の主任以下の賃金を引き下げて低賃金の一般職のそれと統合するという反労働者的な改革案を労組の側から提起しようとしている。それればかりか、これまでは明らかにしていない「期間雇用社員の処遇」と「手当体系の改編」を新たに提起しているのであり、組合員を足蹴にしているではないか。人事・給与制度や手当再編をもくろむ経営陣のお先棒をかついでいるのだ。

本部は、「郵便物流事業の構造改革」と称して、「荷物分野へのリソースシフトを前進させる」と言い、経営陣による合理化諸施策に全面協力している。増員を要求するなどとは決して言わないのだ。

この許しがたい本部の裏切りに抗して、職場深部から組合員と論議をつくりだし本部への怒りを組織しながら、一律大幅賃上げ獲得、人事・給与制度大改悪反対、合理化反対の闘いを創造せんと奮闘しているのが、われわれ革命的・戦闘的労働者なのだ。

Ⅱ ベースアップ獲得の放棄と人事・給与制度の改編に棹さす労働貴族

1 事業危機を口実にした賃上げ獲得の放棄

本部は、賃金改善について「連合方針」にのっとり要求を掲げるとはしているものの、経営陣から「厳しい経営見通し」を突きつけられ、賃上げ獲得を完全に放棄しようとしている。昨年秋いこう本部は、組合員に郵政労働者全体の賃上げ獲得を諦めさせるために、「事業の持続・発展」を強調し、要求に「優先順位」をつけると称して、一般職の、しかも中堅層（二十五歳〜四十四歳）だけの処遇改善に賃金要求を絞りこみおしだしてきた。極めて姑息なやり方ではないか。しかも、今やそれすら投げ捨てようとしているのだ。

もちろん、一般職の労働者は生活もできないほどに低賃金を強いられており、賃上げは絶対に必要である。一般職の労働者は基本給が低く、定年まで勤めても数万円しか上がらない。時給換算で地域最低賃金にも満たない場合さえある。退職金も低く年金も少なく、生活がなりたたないのは明らかではないか。だが、このような状況に一般職の労働者を追いこんできたのはいったい誰なのか！　一八・一九春闘で「同一労働同一賃金の実現」と称して経営陣による一般職労働者の住居手当をはじめ諸手当の剥奪・切り下げを容認し、「トータルでの仕上がり」などと月例賃金の引き下げに応じてきたのが本部ではなかったのか。そもそも、一般職制度の導入（二〇一四年）を積極的に受け入れ、それに協力加担してきたのが本部なのだ。このみずからの犯罪に頬被りして「一般職の処遇改善」などと言うこと自体あまりにも労働者を愚弄しているではないか。

非正規雇用労働者（時給制）の賃金改善についても本部は、まともに引き上げ交渉をするつもりはない。彼らは「連合」の勤続十七年相当で時給一七〇〇円・月給二八万五〇〇〇円という「目標水準」を、「そうした方向で検討する」と言う。すでに目標水準に達している者もいるからやる必要がないと居直っているのだ。スキル評価による労務管理の強化のもとで非正規雇用労働者はこき使われている。その彼らの年収の水準目安を超低額の三〇〇万円に設定しているのが本部なのだ。ふざけるな！

民営化いこう初めて日本郵便が中間決算で黒字を出した。これは経営陣が郵政労働者から搾りに搾り取ったものではないのか。

本部の賃上げ獲得の放棄は、組合員の生活実感からかけ離れており、極めて反労働者的ではないか。郵政労働者は、四年連続で（〇七年の民営化いこう十二年のうち九年も）ベアゼロを強いられ実質賃金は大幅に下がりつづけている。人員不足と労働強化のもとでも超勤削減をも強いられ年収も下がっている。それに追い討ち的に消費税税率の引き上げや社会保障費・生活関連費の負担増が重くのしかかりいっそう生活苦にたたきこまれている。このことをまったく無視して、事業の行く末を案じて、賃上げ獲得を放棄することは許されない。

本部の提起する賃上げ要求は、郵政労働者の労働苦・生活苦をまったく顧みることなく低賃金に固定化し、経営陣にもっともっと搾取してください、と労働者を差し出すもの以外のなにものでもない。こうなるのは、本部労働貴族が「労使運命共同体」思想に骨の髄まで冒されているからにほかならない。

（註）

2　人事・給与制度改編への全面協力

本部は、「同一労働同一賃金の本質的な実現を追求する」などと言いながら、地域基幹職の主任以下と一般職とを統一する、人事・給与制度の改編に応じる案をうちだした。しかも許しがたいことに、「現在の地域基幹職等の給与等が下がる可能性が生じ、現給保障の……交渉のハードルが高い」などと言い放っている。郵政経営陣は「事業最大の危機」と叫びたて郵政労働者の賃金を徹底的に削減している。この経営陣の手先となって本部は、「同じ仕事をしているのに賃金に格差があるのはおかしい」という一般職労働者の声を悪用しおしだしながら地域基幹職・主任層以下の給与削減ありきの見直しを提言する腹なのだ。

郵政労働者は、現行の人事・給与制度のもとでさえ低賃金と労働強化・労務管理の強化にあえいでいる。にもかかわらず、さらに賃金を切り下げ、労働者間の賃金格差を拡大し分断を促進する人事・給与制度を組合側から提案するとはいったいどういうことか。

業績手当（業務）などの諸手当の改編しかり。非正規雇用社員のスキル評価や給与制度の見直しなどにも応じることを本部は提案している。とりわけ、シンプルな給与・手当体系などと称して、集配外務労働者には平均して約四万三〇〇〇円、内務労働者には約二万一〇〇〇円支給されている業績手当（業務）の改悪を提言しようとしているのである。

経営陣は、地域基幹職の主任層は昇任意欲や会社への忠誠心がなく生産性も低く〝賃金が高すぎる〟

と観念している。役職者には「働きの価値に見合った」賃金などと称してほんの少し引き上げ、主任以下の圧倒的多数はより低賃金に抑えこもうと企んでいるのだ。経営陣は、賃金支払総額を縮減するとともに、「期待・役割・貢献度」を厳格にして労働者同士を競争させ生産性を高めるものへと人事・給与制度や手当制度を大改悪しようというのだ。まさにこれにたいして組合側から労働者を売り渡しているのが本部だ。本部の大裏切りを絶対に許すな！

3 合理化への全面協力と労働力不足対策のインチキ性

絶対的な人員不足のなかで、労働強化と低賃金に耐えかねて一般職の労働者は次々と辞めている。本部は、「必要労働力の確保」とは言うものの、その具体策は「新規採用者数の推移と早期・途中退職者の実態分析」、「就労希望者への訴求力が向上するように処遇改善に取り組む」でしかない。組合員の「増員要求」にはまったく応えることなく、処遇改善の問題にずらしているのだ。

また本部は、「郵便制度改正」（「土曜休配」「送達速度の見直し」）法案がいずれは成立することを見越して、「業務適正化」や「基盤整備」をおしすすめ、「荷物分野へのリソースシフト」を前に進展させていくとしている。このような合理化諸施策に積極的に協力することが、あたかも人員不足対策の一環でもあるかのようにおしだしている。だがこれは、郵便離れが起きないように「適正な郵便サービス」すなわち完全配達を可能とする労働力の「適正配置」をめざすというものでしかない。本部は、口が裂けても増員要求とは言わない。「リソース」などと労働者をモノ扱いし配転を進言し生産性向上に駆りたてているのが経営陣の手先となっている本部なのだ。

本部は、ＡＩ（人工知能）やＩｏＴ（モノのインターネット）技術の導入について「利便性・生産性向上を通じた業務基盤の確立は、将来に向けて積極的に活用すべきもの」だなどと全面賛美している。テレマティクスや自動運転の実証実験が「労働力不足解消や業務の適正化・効率化」に資するものであると称して、「早期実用化できるようにスピード感をもって対応していく」などと経営陣を尻押ししているのだ。

だがしかし、AI・IoTを活用した効率化・合理化は、労働者になにをもたらすのか。それは、熟練労働者の首切りと残った労働者へのかつてない過酷な労働強化をもたらすものでしかない。AI・IoT・ロボットなどの機械に使われる〝ロボット人間化〟がもたらされる。「労働者が生産諸手段を使用するのではなく、生産諸手段が労働者を使用する」（マルクス）のであって、労働者は非人間化され痛めつけられるのである。

Ⅲ　二〇春闘の高揚をかちとり労働組合の戦闘的強化を！

われわれの第一の任務は、一律大幅賃上げを獲得することである。本部は、経営陣の綱紀粛正に同調しベア獲得を完全に放棄しようとしている。「郵政の賃金は決して低くない」、〝賃上げは必要ない〟と居直ってさえいる。本部は、組合員に賃上げを諦めさせることに腐心しているのだ。ベアなし春闘が連続的に強制され実質賃金が大幅に下がり生活苦を強いられている組合員の切実な要求を踏みにじり、五年連続ベアゼロを受け入れようとしている本部を弾劾せよ！

さらに、われわれは一般職労働者の抜本的な処遇改善をかちとろう。一般職制度を受け入れ、これまで一般職労働者を低賃金におとしめておきながら、今ごろになって「一般職の処遇改善」などと言う本部のインチキ性をあばきだせ。同時にわれわれは、非正規雇用労働者の賃金と労働条件の抜本的な改善をかちとろう。

正規・非正規を問わずすべての郵政労働者は、本部の賃上げ獲得の放棄を弾劾し一律かつ大幅な賃上げをかちとろうではないか。「かんぽ問題」を口実にした一時金の切り下げにも断固反対し大幅増額をかちとろう。

第二には、人事・給与制度の改悪に反対することである。経営陣のたくらむ地域基幹職の主任以下の賃金切り下げに応じるために、本部は「同一労働同一賃金の本質的な実現」などと屁理屈を弄して、人事・給与制度の改悪に応えようとしている。経営陣の意を受け、人事・給与制度の改悪を組合から提案する本部を弾劾せよ！

同時に、業績手当の改編や非正規雇用労働者のスキル評価・給与制度の改悪にも断固反対しよう。われわれは、本部が提言しそれに経営陣が応えるというかたちをとって、人事・給与制度の改悪に棹さす本部を弾劾してたたかおう。

第三には、合理化とそのもとでの大量の人員不足に反対してたたかおう。経営陣は事業危機突破を前面におしだし、リストラ・合理化にうってでている。経営陣は、来年度以降の収益が二〇〇億円の赤字になるなどと言いながら、これを回避するためと称していっそうのコスト（とりわけ人件費）削減の攻撃にでてくるに違いない。

ところが本部は、ＡＩ・ＩｏＴの活用を叫びすべての合理化攻撃を容認している。彼らは、「業務適正化や業務基盤整備」のためと称して「荷物分野へのリソースシフト」を対置している。人員を増やすことなく、「成長分野」へ労働者を異動させよ、ということなのだ。大量の首切り・配転・労働強化をもたらすものでしかないこの要求を、あたかも人員不足の解消策ででもあるかのようにおしだしているのが本部だ。

われわれは、本部の合理化協力・生産性運動を弾劾し、新経営陣によるリストラ・合理化に反対してたたかおう。絶対的人員不足とコストコントロール策を強いられ、労働者はヘトヘトになるまで極限的な労働強化を強制されている。これに断固反対し、大幅増員をかちとろう。

第四には、安倍政権が血道をあげる安保の強化・自衛隊の中東派遣・改憲攻撃に反対してたたかうことである。戦争放火者トランプのアメリカに唯一「属国」の宰相としてつき従い、このアメリカとともに世界中で戦争のやれる〈軍国日本〉へと日本国家を飛躍させるために、安倍政権は憲法九条への「自衛隊の明記」と首相に非常大権を与える「緊急事態条項」の創設を柱とする憲法大改悪の攻撃にうってでている。

本部は、安倍政権が振りおろしているこの一大反動攻撃にたいして、いっさい沈黙を決めこんでいる。職場からの反戦の闘いに「春闘の課題ではない」などと抑圧してさえいる。

われわれは、本部の無対応・実質上の改憲容認を弾劾し、反改憲、反安倍政権の闘いを創造しよう。同時に安倍政権の消費税増税や社会保障制度の大改悪にも反対しよう。本部の抑圧に抗して、職場から論議を巻き起こし安倍政権打倒に突き進もう。

第五に、今春闘のただなかで本部の「事業救済運動」をのりこえ組合組織そのものの戦闘的強化をかちとろうではないか。

本部は、「かんぽ営業」問題を「事業存続の危機」ととらえ、新経営陣とともに「事業構造の改革」や「金融営業の抜本的見直し」を叫び全面協力することを宣言している。経営陣は、営業スキルやマネジメント力の強化、「お客様本位の徹底」・コンプライアンス遵守などの労務管理を一挙的に強化するだけでなく、「かんぽ営業」問題を現場労働者の処分をもって幕引きを図ろうとしている。われわれは、経営陣を支えてきたみずからの責任に頬被りする本部を弾劾し、労働者への犠牲転嫁を許さずたたかおう。

郵政労働者のみなさん！

〇七年の民営化いらい郵政労働者は、低賃金と労働苦にたたきこまれている。それは本部が「生産性運動」を基本理念として「処遇と労働条件の向上には会社の持続的発展が不可欠」などという虚偽のイデオロギーを流布し、会社経営陣の賃金抑制策や合理化施策に全面的に協力してきたからではないのか。「労使運命共同体」思想に冒され、労働者を階級として組織することを完全に否定しているからではないのか。本部は経営陣の第二労務部として立ち回り労働組合を会社に従属させている。労働者は労働組合の旗のもとに団結したたかうことなしには、要求は実現できないのだ。本部は、今春闘での組織拡大や組織活性化を図るように提起してはいるが、それは労働貴族としての自己保身に貫かれた、会社発展のための組織の拡大・活性化でしかない。

革命的・戦闘的労働者は、今春闘のただなかで、労働者の階級的な団結を基礎とした労働組合組織そのものの戦闘的強化をかちとろう。たたかう郵政労働者は一致団結して、本部の〝事業危機突破〟のための春闘への歪曲をのりこえ二〇春闘の戦闘的高揚をかちとろう。

註　ＪＰ労組本部は、今春闘の賃上げ要求を中央委員会に現地提案し、職場討議に付すことなく決定した。その要求は、すべての郵政労働者に、賃上げ獲得の放棄を強いるものだ。

本部は、「一般職全体の賃金引き上げと初任賃金から若年層の賃金引き上げを中心に行うため、全社員一人平均六〇〇〇円引き上げること」を、正社員の賃上げ要求だとぬかしている。これは、組合員を騙すための虚言である。本部は「一般職の賃金引き上げ」をおしだして、郵政労働者全体の賃上げ獲得を放棄し、賃上げを要求することをも投げ捨てているのだ。

本部の言う一般職の賃上げは、対象を中堅層二十五〜四十四歳の約一万三千人（郵政労働者全体の三・四％）だけに絞り、しかも要求の基準はそれじたい低額の地域別最低賃金や民間賃金との比較でしかない。この要求は、一般職をはじめすべての郵政労働者の低賃金を固定化する代物なのである。

（二〇二〇年二月十三日）

トヨタ生き残りに挺身する労働貴族

村山　武

昨二〇一九年十月九日、トヨタ自動車労使は、一九春闘において経営陣が回答を保留し継続協議となっていた冬の一時金をめぐって「労使協議会」を開催した。そこで、経営陣から「三・五ヵ月」分の回答を示された組合執行部は、夏（三・二ヵ月）と合わせて要求した「六・七ヵ月」の「満額回答」になるとして妥結を表明した。

回答にあたり社長・豊田章男は、「組合の皆さんがもう一度自分たちの現状を見つめ直してくれた」と四月以降の組合員の変化を「評価」した。また「労使協議会」の議長を務めてきた副社長の河合満は、「会社は従業員の幸せを願い、従業員は会社の発展を願うという共通の基盤に立てた」などと言い放った。この輩は、トヨタの「労使宣言」（一九六二年）に謳われている「会社と組合」という文言を意図的に言い換えて、「会社と従業員」が「ひとつの家族」になって、「この大変革期をのりこえていくことを誓い合った」と宣言したのだ。

「冬の一時金」が回答保留にされた春の「労使協議会」以降、組合執行部は「自分たちが変わった」ことを認めてもらうために、ただちに「一人ひとりが今までの仕事の仕方を変える」ために「やめよう、変えよう、始めよう運動（通称〝やめかえ運動〟）」なるものを開始した。こうした取り組みをつうじて「変わることができた組合員を認めていただいた」と安堵の意を表明し、これまで以上に「組合員の意識と行動を変革」することを経営陣に誓って回答をうけいれたのが労組委員長・西野勝義なのだ。

異例となったこの「労使協議会」で示されたものは、トヨタ労組執行部が社長・豊田章男の意を直接的にうけいれてトヨタ独占資本の生き残りのために挺身する労働貴族としての本性をあらわにしたのだ。

「豊田綱領」をふりかざす社長、呼応する労組委員長——一九春闘

トヨタ労組指導部は、昨年三月の春闘回答において冬の一時金の回答保留を社長から突きつけられて以降、社長の「期待」に応えることに狂奔してきたのであった。

一九春闘の終盤「第三回労使協議会」（三月六日）において、経営陣は「高い賃金水準、競争力の観点を踏まえると、一律に配分する必要性」はないといいなし、「賃金を含め処遇全般を検討する労使の専門委員会の設置」を提案した。これにたいし執行部は「改善分を獲得しても、まったく配分されない人・職種があるなら組合としてはうけいれにくい」ことを表明し「賃金改善分の一律配分と一時金の年間協定」にこだわる姿勢をおしだした。

競争力強化に向けた諸施策の実現に組合員を駆りたて会社経営陣に全面的に協力してきたのが彼ら労組幹部である。彼らはこれまで、「頑張りに報いる賃上げ」とか「今後のやる気につながる回答」とかといった賃上げ要求の基礎づけにもとづく方針を掲げ、満額回答をひきだすという演出をおこなってきた。そうすることによって労働貴族どもは、〝組合員からの信任を得て労組をまとめる〟と称して労働者を統制下においてきたのだ。

もとよりトヨタの組合運動は「組合は会社の成長に寄与し、一方会社は、組合員の雇用・労働条件の維持・改善に寄与する」と謳われている「労使宣言」を掲げてとりくまれている。こうした〝思想〟

は下級役員や組合員にも浸透しているのであって、労使協議会の場でも「ベテランがモチベーションを上げて働けるよう激励がほしい」とか「国内営業の法人事業部が外部に事業移管されることに不安を抱えている」とかの組合員の要望や不安の声が明らかにされた。

こうした組合員の現状に、社長・豊田はいらだちを隠さずに言い放った。「こんなにも噛み合っていないのか」「生きるか死ぬかの状況がわかってない」と。「労使相互信頼・相互責任」というトヨタ版「労使運命共同体」思想を叩きこまれてきた労働貴族どもにたいして、これまでとりくんできたトヨタの組合運動を〝自動車産業の一〇〇年に一度の危機をまえに、根本からつくりかえよ〟と最大級の恫喝を加えたのが豊田章男なのだ。こうした経営者としての意志を組合員に突きつけるために、あえて「一時金の年間協定」という五十年来の慣例の破棄に踏みきったのが社長であり、これに呼応して組合員を代表して「反省の弁」を述べる役を演じたのが、西野なのだ。

この「回答」を提示するにあたって豊田章男は創業時の「原点を忘れているのではないか」と『豊田綱領』の精神」なるものの講釈を披瀝した。この「社長の想い」にたいして「『豊田綱領』の精神を全員で再確認し」「豊田綱領をベースに原点に立ち返って取り組みをすすめていく」ことを誓い秋の労使協議会までに〝「遅れた組合員」を変える〟と表明したのが委員長・西野なのだ。

西野執行部にたいする組合員の批判の噴出

しかし、この西野執行部の対応にたいして組合員からただちに反対・不信の声がわきあがった。その集約が昨年七月三日に公表されたトヨタ労組の次期役員選挙の結果であった。前執行部を中心にした新三役らが信任されたとはいえ、委員長候補・西野らへの不信任票が大幅に増加するという〝異例〟の事態が起きたのだ。二年前の選挙では不信任は一五〇票であったのにたいし、今回は八〇〇票を越える不信任が西野に突きつけられたのである。

同様の事態は、昨一九春闘の会社回答を受けて開催された評議会においても起こっていた。執行部の妥結提案にたいして、〝前代未聞〟の反対票が投じられたのだ。「とことん話し合って全員一致で決定する」ことを標榜し、これまで「満場一致」で執行部提案を議決してきたトヨタ労組において執行部への不満・反発が噴出したことは、執行部にとってはまさに〝非常事態〟というべきことであった。

こうした事態が生みだされた根拠は、これまで労使交渉の〝慣例〟とされてきたものが経営陣によって破棄されたことによる。経営陣が「危機感が共有できていない」などという理由をもって、これまでの慣例を破って「夏季一時金の三・二ヵ月」のみの回答とし、「冬季」については秋に「労使協議会」を開催し再度協議することを通告した。この回答を唯々諾々とうけいれた組合執行部への反発が噴きあがったのだ。この「会社回答」は、組合員にとって衝撃であった。「リーマンショック」によってトヨタが数十年ぶりの赤字に転落した〇八年度末の〇九春闘においても「一時金の年間協定」は維持されていた。それは「労使相互信頼」の証しと意義づけられてもきた。しかも、一八年度の業績も売上高三〇兆円、営業利益二兆円を計上したがゆえに、組合員の多くはこれまでどおり「満額回答」で会社が応えるのは当然だと考えていた。

だが「今回ほどものすごく距離感を感じたことはない」という社長の恫喝をまえにして頭を垂れるポーズをとったのが組合委員長・西野だ。「組合員の意識や行動が会社の期待値に届いていなかった」「変わるためのチャンスをいただいた」などと経営陣に反省を述べる姿をあえて組合員に――「トヨタイムズ」という会社のホームページで公開されることを前提として――示しつつ「会社回答」を執行部はうけいれたのだ。これにたいして職場からは「素直に納得できない」、「会社によりすぎじゃないのか」などの不満が一気に噴きあがった。「日々の業務に忙殺され」長時間労働や苛酷な労働を強いられてきた組合員にとって納得できるものではない。それが執行部の妥結提案への反対票となったのだ。

この事態は同時に、トヨタ独占資本やその忠犬であるトヨタ労組の労働貴族どもにたいして様ざまな場面で展開してきた、わが革命的＝戦闘的労働者のイデオロギー的＝組織的闘いに鼓舞され支えられた「反乱」として意義をもつものでもある。

労組に「危機感の共有」と「変革」を迫る経営陣

だがしかし、トヨタ労組執行部はこうした多くの組合員の妥結反対・労組執行部不信の声をまったく歯牙にもかけず、昨年四月以降、会社経営陣と二人三脚で「競争力強化」に向けてと称する種々の取り組みを開始してきた。

その第一は、「労使専門委員会」を設置し、「本来、会社の専権事項」であると主張してきた「評価、昇格、処遇」全般について、「労使」で見直しをすすめる論議を開始したことである。経営陣は言う。グーグルやアップルといったＩＴの巨人が参入した自動運転の開発をはじめとした熾烈な競争に勝ちぬき生き残るためには、他の自動車メーカーをはじめ様ざまな企業との提携や先端技術開発への巨額投資が不可欠になっている。そのために「トヨタらしさを取り戻す」取り組みが必要である、と。具体的には次の三点を経営陣は提起している。

①「『トヨタの原理原則』を徹底させる」。すなわち「トヨタに関わる全員が身につけるべき作法」である「トヨタ生産方式と原価低減、原価のつくり込み」を徹底し、「競争力」強化と技術開発費の捻出をおしすすめること。

②「評価基準の見直し」。すべての職種・資格の評価基準を「人間力」と「実行力」とする、と提起している。すなわち、画一的な人材よりも仕事で周囲から認められ巻きこむことのできる「プロ人材」を育成するために「人間力」を評価の柱にする、また「専門性を発揮し、課題遂行・組織貢献できているか」を確認する「実行力」を重視する、と称しての「評価基準の見直し」をすすめるという。

③「人間力」「実行力」を兼ねそなえた人材を「現場主義」「現場主体へのシフト」によって育成すべきことをうちだしている。新入社員をはじめ若

年の労働者が「業務の委託化をすすめてきたことにより、管理業務に従事」することになり、みずから考え行動する機会が失われ人材育成がすすまない――このように経営陣は嘆いている。こうした現状を打開するために、新入社員・若年社員をそれぞれの現場に配置し「現場でみずから考え、行動し専門性を磨き上げる」ようにせよ、と提起しているのだ。

　さらに賃金制度の改訂を二〜三年かけてすすめることが検討されている。熾烈な競争に勝ちぬくために経営陣は、優秀な技術労働者の獲得に血眼になっている。「仕事の仕方変革を一層促進するため」には「外部知見の取り入れ」が必要だと称して中途採用を積極的にすすめている。それゆえに、「専門技術職」の中途採用者の比率は一九年度では全採用者の三割に達し、将来的には半数を中途採用する計画になっている。「専門技術職」は、そのキャリアや能力に応じて処遇され「幹部職」で採用されれば初年度から低くても年収一〇〇〇万円以上で処遇されることになる。

　こうした中途採用組と新卒採用組が混在する労務構成に対応して、賃金の〝整合性〟をつける必要性からも賃金制度の改訂が検討されているのだ。

　また、「賃金改善分をもって全員一律に引き上げる必要はない」という経営側の主張を組合は「重く受けとめ」、「成果を出した人により報いることのできる」賃金制度への改訂がすすめられてもいるのだ。すでに「一時金」については「人一倍頑張っている人の頑張りを更にひきだす」ために、「考課加点金額」の引き上げがおこなわれている。加点一〜三点のうち「事・技職」は三点が三〇万円から四五万円へ、「技能職」は三〇万円から四〇万円へ引き上げられている。〔西野執行部は、二〇春闘において

トヨタの労使協議　2019年（上）は労使が向き合う
今年（下）は「トップ級」「管理職級」と労組で三角形

「より頑張っている人に報いる原資として維持分を上回る賃金引き上げを要求していきたい」と称して、人事考課にもとづく「五段階」の賃上げ要求案を提示した(昨年十二月末)。」

いまトヨタですすめられている賃金制度改訂を受けて今後は「賃金改善要求」それ自体が放棄されることになるにちがいない。このことは賃上げ闘争としての春闘そのものの消滅を意味する以外のなにものでもないのだ。

〝遅れた組合員を変える〟と叫ぶ労働貴族を弾劾せよ

第二には、昨年五月から、労組の主導による「自分の職場や仕事をもっとよくするための全員参加活動」と銘うって「やめよう、変えよう、始めよう運動」なるものが開始されたことである。

たとえば、組合員による、やめる――「不用不急の報告業務」、変える――「工程間調達依頼書の簡素化」、始める――「海外出張の際、役に立つ英語教育」といった提案をおこなうのみならず、この提案をめぐって「部長次長・室長・課長と進め方を共有」し「労使で議論・実行」することで「労使」のコミュニケーションを深めるところに主眼をおくという。これは職場の上司と部下の関係のもとでの取り組みそのものであって、こうした取り組みがなされるかぎり労働者の組合員としての意識は希薄化し上司・管理職に忠実な一従業員としてみずからの「仕事の変革」を強制されることになるのだ。そもそもの「運動」の「目的」を、「仕事のやり方を変えなければトヨタは生き残れない」という「社長の危機意識」を受けとめ「組合員一人ひとりが変わる」ことだ、と説いているのが労働貴族どもなのである。

すでに労働組合の中心的な担い手となる若い「労組役員」に「『豊田綱領』の精神」を注入するための教育が集中的にすすめられている。「七月度の労使拡大懇談会」では執行委員、職場委員長、評議員の総勢七五〇名を集め副社長・河合と委員長・西野が講師として出席して「豊田綱領」の解説がおこなわれた。それは「上下一致至誠業務に服し産業報国の実を挙ぐべし」などの創業者・豊田佐吉の遺訓を五か条にまとめたものであり、トヨタ自動車の「経営理念」となっているものである。副社長・河合は「われわれは一つの家族、組合・会社関係なく全員が一丸になって社長と共に頑張っていこう」などと号令を発した。創業家の御曹司である豊田章男を家父長とする「トヨタ大家族」の一員として「お国のために、社会のために」働くことを強制しているのだ。また委員長・西野は「トヨタがおかれている状況の認識の甘さを深く反省し」「世のため人のための価値観で行動する」などとほざいている。

いまや「一〇〇年に一度の変革期」と叫ぶ経営陣に呼応し「豊田綱領をベースに」労組の活動をすめると公言しているトヨタ労組執行部は、「いまだ変わっていない」一部組合員の意識を社長の意に応えうるように変えることを労組の第一の課題としている。第二に、経営陣が「競争力強化」の「最大の障害」とみなしている中間管理職の〝怠慢〟ぶりを下部労働者に摘発させ経営陣に申告させることを組合員の任務として課しているのだ。こうして労働貴族としての本性をあらわにしている執行部のもとで、労働組合は丸ごと企業の「競争力強化」に挺身する団体として変質させられているのだ。

労働者総体を資本の忠実な下僕へと突き落とすトヨタ労組労働貴族どもの反労働者性を断固として暴きだし、これを覆すための闘いをトヨタグループ各労組の深部からつくりだしていこうではないか。

『解放』掲載の関連論文

- 「第四次産業革命」遅延下の産業・企業生き残りへの挺身　毛利晴信（第二六〇九号）
- トヨタ　下請け労働者を酷使　守野　継（第二五九二号）
- トヨタ　次世代車開発拠点を建設（第二五九〇号）
- ＭａａＳ開発に生き残りを賭けるトヨタ　戸浦　崇（第二五七八号）

一九七二年八―十一月　相模原闘争　三ヵ月の激闘

一九七二年、アメリカ帝国主義のベトナム戦争での敗退が決定的となりパリ「和平」交渉が急ピッチで進展しているなかで、補給兵站基地としては極東最大の規模をもつ米軍相模補給廠（神奈川県相模原市）は、沖縄・本土の米軍基地とともにベトナム侵略の拠点としてフル回転していた。ベトナムの最前線から運びこまれて修理・整備をうけた、米軍と南ベトナム政府軍の大量の重戦車や装甲兵員輸送車両が、再度ベトナムの地に送りこまれようとしていたのだ。

この相模補給廠からの米軍戦車・兵員輸送車両搬出阻止の闘いは、社会党・総評の主導のもとに開始された。社会党員であった横浜「革新」市長・飛鳥田一雄（のちの社会党委員長）が「車両制限令」を盾にして重量制限をオーバーしているこれらの車両に「輸送不許可」の決定を下し、社会党・総評系諸団体が阻止行動にとりくむことによって、八月四日以降、M48重戦車などの戦闘車両の搬送を一時中断においこんだのである。「国内法体系と安保法体系との矛盾」を掲げた社会党＝飛鳥田式の「抵抗」闘争は、それ自体は合法主義的なものでしかないが、反基地の「市民運動のあらたなたたかい方」として評されもしたのであった。

だが社会党は、「ベトナム人民支援」を掲げた「抵

相模補給廠ゲート前で装甲車搬出実力阻止をたたかいぬく全学連（72年9月18日）

抗」闘争の裏面で政府との取り引きに走っていたのだ。彼らの裏切りを断固として暴きだし、「アメリカ帝国主義のベトナム侵略阻止」のスローガンのもとに労学両戦線から相模原闘争を革命的・戦闘的におしすすめるために奮闘したのが、わが同盟とそのもとでたたかう革命的・戦闘的労働者と学生たちであった。

戦闘車両搬出強行の決定的局面をなした九月十八―十九日、われわれは社会党・共産党ら既成左翼の大裏切りと闘争放棄を弾劾し、断固として実力阻止闘争を敢行した。ベトナム侵略拠点に一大痛打をあびせかけた七二年秋のわが同盟のこの闘いは、ベトナム反戦闘争のあらたな地平をきりひらいたのである。

Ⅰ　相模原―ノースピアの激闘を領導

A　補給廠ゲート前で徹夜の阻止戦　9・18―19

九月十八日、わが全学連現地闘争団は権力のテント撤去・M113装甲兵員輸送車搬出強行がさし迫る緊迫した情勢のもとで、これを阻止する万全の闘争態勢を築くために、夕刻からゲート前に続々と結集する労働者・市民に阻止闘争への決起を呼びかけた。ゲート前では、最前線に全学連の先発部隊が国鉄動力車労組や相模原地区労の戦闘的労働者たちとともに陣どり、横浜線の線路をはさんだ反対側のゲート前の十字路には、たたかう市民と学生たちが座り込みを開始した。午前〇時すぎ、日比谷野外音楽堂での国鉄処分反対集会をたたかいぬいた動労・国労などの青年部の一〇〇名近くの労働者たちが到着し、さらに反戦青年委に結集する労働者たちがゲート前に登場した。

徹夜の座り込み闘争（72年９月18日）

　十九日午前一時三十分、ついに全学連一五〇〇名の大部隊が権力・機動隊の阻止線を大胆につき破り、ゲート前にその雄姿を現わした。わが全学連の大部隊の登場によってゲート前の闘いの様相は一変したのだ。全学連は三〇〇名をこす旗竿部隊を先頭に戦闘的デモをくりひろげ、ただちに最前線で座り込み体制にはいる。これと同時に、全学連行動隊は現場の包囲体制をしく機動隊にむかって突撃し攻撃を開始する。

　権力・機動隊は、三時半すぎに排除命令を出したにもかかわらず、ゲート前を埋めつくす全学連と戦闘的労働者たちの座り込み闘争と全学連行動隊による果敢な攻撃によってゲート前に近寄ることすらできなかった。搬出予定時刻の午前五時が近づき、すでに空は白じらと明るみはじめた。この時、機動隊は、座り込みを貫徹する労働者・学生の部隊に襲いかかり、テント村の破壊にのりだした。わが全学連と戦闘的労働者の部隊は、権力の弾圧に抗してあくまでもスクラムを固め、ゲート前の最前線で実力阻止の白熱した闘いを断固としてくりひろげた。じつに搬出予定時刻から一時間余にわたって兵員輸送車の搬送をおしとどめたのだ。

社会党中央の裏切りを弾劾し奮闘

　この労学が連帯した徹夜の白熱した阻止戦は、社会党・飛鳥田の合法的「抵抗」闘争というかたちで開始された相模原闘争の限界を暴きだしながら、わが同盟が労学両戦線から革命的・左翼的に闘いをつくりだすことを基礎にしてはじめて実現されたのだ。

　この当時、相模補給廠はアメリカ帝国主義によるベトナム侵略戦争のための兵站補給基地としてフル稼働していた。ベトナム戦争の敗北局面を「名誉ある和平」というかたちで収拾することをめざして、ニクソン政権は、中国との国交樹立に動きだした。だが中ソ対立にクサビをうちこむアメリカの追求に、ソ連は北ベトナムへの軍事的・経済的支援の拡大をもって応えた。こうしてソ連の後押しをうけて強化された北ベトナム軍・南ベトナム解放民族戦線の攻勢にアメリカ軍と南ベトナム軍はますます追いつめられていたのである。

装甲車を積んだトラックが機動隊に守られ出発（72年9・19）

　このようなベトナムでの敗勢のもとで、八月四日以降約一ヵ月ちかくにわたって米軍戦闘車両のベトナム戦線への搬送が中断に追いこまれた米・日両権力者は、危機意識にかられながら、事態の〝打開〟のために動きだした。九月一日にもたれた首相・田中角栄と米大統領ニクソンとの首脳会談において、両帝国主義権力者は、「日米安保条約の堅持とその運用の円滑化」をあらためて確認しあった。この確認にのっとって在日米軍当局者は、一時中断に追いこまれていた米軍戦闘車両の搬送を早期に再開する方針をうちだした。田中内閣もこのアメリカ権力者の要請に応えて、ただちに社会党の政治的とりこみを軸にする反対運動の切り崩しと弾圧の強化に着手したのである。

　九月十二日に田中内閣は、「①一〜二年後に相模補給廠を縮小する、②相模補給廠から搬出した戦闘車両はベトナムに輸送されないよう善処する」という政府見解なるものを発表した。誰がみても欺瞞的なこの政府見解を、にもかかわらず、「一大成果」であると評価したのが社会党中央であった。彼ら社会党は、今後は「実力阻止はおこなわない」「国会論議でさらに追いつめる」「M113兵員輸送車搬送には反対しない」と主張し、大裏切りを公然とやってのけたのだ。この社会党の大裏切りを見届けた田中内閣は、九月十九日早朝を期してのM113兵員輸送車の大量搬送と補給廠前の監視テント村の強制撤去の攻撃を一気にふりおろしてきたのであった。

学生戦線において、わが全学連は、九月四日に現闘団を結成して以降、ゲート前最前列に構えた現闘本部テントを拠点にして、連日連夜にわたって労働者・市民へのオルグ活動をくりひろげた。現闘団の学生たちは、現地の労働者・市民との、さらに地区労のテントに出入りする労組員や社会党系の活動家との討論を精力的につくりだし、社・共既成左翼指導部の議会主義的な運動と対決し相模原闘争の革命的な展開のためにたたかうことを訴えた。こうして、たとえば、社会党現闘につめている労働者からは、「中央がなんといおうと、俺たちは体をはって戦車を阻止するのだ」という声が次々とうみだされたのだ。また、社青同（社会党の青年組織としてつくられ、協会派によって牛耳られていた社会主義青年同盟）のある支部責任者はポロポロ涙をながしながら「社会党に完全に裏切られてしまった。どうしていいかわからない」とわが現闘団に語ったという。

他方、労働戦線では、わが革命的・戦闘的労働者たちは、相模原現地闘争へのとりくみをテコにしながら、反戦闘争を職場から再創造するために奮闘した。職場の労働者たちを組織化して社会党や地区労の現闘本部を訪問し討論をつみ重ねた。わが労働者たちは、「戦車阻止」が日本において「ベトナム戦争阻止」の課題を実現するための個別的任務であるこ

動労の青年労働者と全学連が連帯し戦闘的デモ（72年9月4日）

とを明確にして職場の労働者たちを組織化したのである。社会党や地区労の現闘本部のテントには、国労や動労の労働者たちが泊りこみ、訪問した労働者たちを歓迎しともに討論をつくりだしていった。

ベトナム侵略戦争にたいして、アメリカ帝国主義との外交的駆け引きと南ベトナム解放民族戦線への軍事支援との二面的対応にあけくれたソ連権力者。ソ連に対抗するために対米協調外交に転じた中国権力者。両国の支援のもとに「民族和解政府樹立」を掲げての南ベトナムの軍事的解放を追求した北ベトナム権力者。彼らの対応の問題性はカッコにくくって「ベトナム人民支援」を掲げた社会党・飛鳥田式のプロ・スターリン主義的でかつ合法主義的な「抵抗」闘争の限界をわが同盟と全学連、革命的・戦闘的労働者たちはつきだし、ベトナム戦争の根源が米・ソの相互角逐にあることを明らかにして、それを断ち切る主体的な力を創造する労働者的質をもった闘いへと大きくつくりかえたのだ。社会党のかの決定的裏切りに抗して、わが革命的・戦闘的労働者たちは米軍戦車搬出に反対する＜反安保＞をも掲げた労働者の実力阻止闘争の隊列を下からつくりだすために奮闘したのである。全学連の英雄的闘いを先頭にして労学連帯の一大闘争として爆発した9・18―19ゲート前阻止闘争こそ、わが同盟の闘いの真価をはっきりとしめすものであったのだ。

B　米軍M48戦車の搬出に一大痛打

10・20　補給廠突入の英雄的闘い

わが同盟を先頭にして、九月の闘いが盛り上がり、戦車輸送が一ヵ月以上もの長期間ストップさせられたままであることに焦りをつのらせた米軍・アメリカ政府は、日米安保条約にもとづいて日本政府にたいして輸送の再開を強く迫った。この要請に応えて田中政府は、十月十八日から車両制限令第一四条の改悪を強行し、米軍戦闘車両の搬送にフリーパスを与えたのである。この攻撃にたいして「約束違反」と弱よわしく抗議する以上の対応をとることができない社・共既成左翼。こうした反対運動の惨状をつき破り、わが全学連は、米軍相模補給廠への突入闘争を敢行し、反撃の闘いに決起した。

二十日午前九時四十八分、文字どおり闘いの烽火が相模原現地に打ちあげられた。「革マル派」旗をたてた小型トラックに乗った全学連特別行動隊四名が、相模補給廠正面ゲートを正面突破し、機動隊やＭＰ（米陸軍憲兵）の阻止線を打ち破って一気に戦車修理工場前に進撃したのだ。整備を終了しベトナム行きの搬送をまつばかりのM48重戦車に火炎ビンをたたきつけた四名の若き戦士たちは、火焔に包まれる戦車によじ登り、真紅の「革マル派」旗をうち振りながら「ベトナム侵略阻止！　搬出入実力阻止！」のシュプレヒコールを補給廠一帯に轟かせたのだ。

M48戦車搬送阻止の実力闘争（72年11・8、横浜ノースピア入口）

日米両支配階級を震撼させた英雄的闘いを敢行し不当にも逮捕された全学連戦士は、出獄後、この闘いについて次のように生き生きと報告した——。

わが全学連の戦士たちは、あわてふためきまったく手をだせないMPを尻目に戦車の上から火炎ビンを次々と投下した。しかも、この闘いの周囲を全駐労（全駐留軍労働組合）の基地労働者たちが歓呼の声をあげてとりまき、インターの歌声に唱和しながらMPからわが全学連戦士を防衛しようとする。そればかりではなかった。全学連戦士の一人はM48戦車のハッチをあけて中に入り、戦車を操縦しようとした。けれども本人いわく、「燃料が入ってなくて動かなかったのが、唯一の失敗だった」……。

ベトナム侵略の拠点に一大痛打をあびせたこの10・20突入闘争を突破口に、わが同盟は、翌二十一日の国際反戦デーには、「車両制限令改悪反対」をも掲げて決起した動力車労組の二十四時間反戦強力順法闘争〔ATS（自動列車停止装置）を手動に切りかえることなく警報が鳴るごとに停車させて列車を遅らせる闘争形態〕を支援する闘いを労学両戦線で組織した。

全学連の学生たちは、この動力車労組の闘いを支援して電車をぶっとめるゲリラ的闘いを敢行するとともに、10・21闘争を反戦青年委に結集する労働者とともに五〇〇〇名の決起でかちとったのだ。

戦車輸送の「フリーパス化」に反撃の烽火を燃えあがらせたわが同盟とそのもとでたたかう労働者・学生は、社会党の裏切りによって最終局面を迎えるにいたった相模原闘争の危機的な現状を革命的に突破するために総力をあげてたたかいぬいた。

11・8　ノースピアでM48戦車を阻止

十一月八日、ついに田中内閣は、最後まで残っていたM48重戦車を一挙に抜き打ち的にベトナムの戦場に搬送することを許可した。午後十時十五分、M48戦車を積んだ大型トレーラーが相模補給廠を出発。すでに機動隊によって規制がしかれていた横浜ノースピア（米軍専用埠頭）入り口の村雨橋交差点には労働者が続々と結集し闘いの緊迫感がみなぎっている。

当日の午後には早大文学部校舎で総決起集会をかちとった全学連のたたかう学生たちは、権力の検問・警備体制をかいくぐりながら、村雨橋にむかって結集する。ちょうど歩道上で労働者がシュプレヒコールをあげはじめたそのとき、白ヘルメットで身を固めた全学連二〇〇名の部隊が道路交差点中央に躍り出て機動隊のジュラルミン楯の壁にむけて突撃を開始する。この全学連の突出した闘いを合図にして、労働者たちも次々と車道上にとびだしデモをくりひろげる。午後十一時五十分、大型トレーラーに積まれたM48戦車がその巨体を現わした。動力車労組の白ヘル部隊も到着している。「一万人動員」「実力阻止」を呼号していた社・共既成左翼は、宣伝カーの上から演説をくりかえすだけだ。

トレーラーに積まれたM48戦車が交差点にさしかかるや、ウォーという喚声とともに、ついに、全学連の部隊の押しまくる力で機動隊の阻止線は打ち破られた。三〇〇名ちかくの労働者・学生の部隊が交差点を完全に制圧し、「M48戦車阻止！　ベトナム侵略阻止！」のシュプレヒコールが轟きわたる。M48戦車はノースピア入口でじつに一時間以上にわたって立ち往生せざるをえなかったのだ。

態勢を立て直した機動隊がわが全学連の部隊に凶暴な弾圧を集中する。だが、機動隊の検問・阻止線を突破した全学連の後続部隊が続々と村雨橋前の交差点に集結し、六〇〇名にふくれあがった全学連の部隊はふたたび隊列を整える。わが全学連は、最大の部隊としてスクラムを固く組み直し、夜が明けはじめた早朝の第二回搬送にたいして実力阻止の闘いに不屈の決意で決起した。社・共指導部がカンパニアでお茶をにごしているなかで、これに抗して、全学連は労働者とともに実力阻止闘争を夜を徹してたたかいぬいたのだ。

II　切り拓かれたベトナム反戦闘争の新たな地平

既成左翼の公然たる大裏切りと闘争放棄を弾劾し、わが同盟が牽引したたかいぬいた相模原闘争。九十五日間にわたってほぼ連日のようにたたかわれたこの闘いは、ベトナム反戦闘争のあらたな地平をきりひらくものであった。

ベトナム戦争の最終局面においてアメリカ帝国主義のベトナム侵略がこれまでにない激烈なかたちでエスカレートするなかで、既成左翼指導部は、米・ソ間の欺瞞にみちた和平交渉を、「平和な国際関係をつくる」ものとして美化したり（社会党）、「ベトナム人民の民族自決の闘い」（日共）として反米民族主義の観点から評価しつつ、「ベトナム人民支援」を掲げていた。このような闘いの一環として、彼らは「今日的基地闘争」（社会党）とか「基地総告発運動」（日共）とかと称するとりくみをうたっていた。こうした既成左翼の「反基地」とは名ばかりの相模原闘争の歪曲を弾劾し、これをのりこえ、われわれは戦車搬出阻止の闘いを労働者的な質をもったベトナム反戦の闘いとしてたたかいぬいたのである。このことを、わが闘いのまず第一の意義として確認することができる。

国内法の「順守」を盾にした社会党・飛鳥田式の「抵抗」闘争は、当然にも闘争の高揚とともに完全に色あせ、なにひとつ抵抗できない抵抗闘争になりはててしまった。この根拠こそ、国内法の「順守」を盾にした「阻止闘争」なるものが、社会党の「積極中立」路線にもとづく政府への政策転換要求運動の手段として位置づけられているにすぎないことにあり、したがって対政府交渉による議会的収拾へとねじまげられてしまうものであることを、われわれは暴きだしてきたのだ。他方、日共の場合は、社会党以下的ですらあった。彼らは、飛鳥田がつくりだした阻止行動にたいして「実力闘争主義ナンセンス」という非難をなげつけたほどだったのであり、相模原現地においては「住民の権利闘争」「自治擁護の闘い」なるものを強調し労働者・学生の戦闘的闘いに真っ向から敵対することに明け暮れたのであった。

わが全学連は、こうした社共の議会主義的歪曲と断固として対決して革命的闘いをおしすすめるとともに、労働戦線においてわが戦闘的・革命的労働者たちは、社会党の闘いの限界を突き出しながら議会での取り引きによる収拾に反対し闘争の左翼化と戦闘化を実現したのである。こうして社会党の公然たる裏切りに抗して労働者と学生の連帯した一大闘争として、9・18―19の阻止闘争がかちとられたのである。

第二にわれわれは、相模原闘争の全過程をつうじてブクロ＝中核派をはじめとする小ブルジョア諸雑派の凋落を決定的なものとした。九月十八日夜からの決戦が開始されてもなお、ブクロ派はゲート前から三キロメートルも離れた氷川公園で機動隊に〝保護〟され一晩中夜空を見上げてすごす、という惨状をさらけだした。ブントや青解派は座り込み部隊の中に赤や青のヘルメットをちらほらとまぎれこませただけであった。自称「トロツキスト」の「第四インター日本支部」は南ベトナム解放民族戦線の旗を振ってプロ・スターリン主義的本性をさらけだし、機動隊に追われて労働者の座り込み部隊に逃げこんでは弾劾される、という体たらくであったのだ。

じつに相模原闘争こそは、日本における小ブル急進主義運動が最後的に消滅しわが革命的左翼が広範な労働者・人民の最先頭で大衆闘争を牽引する、という陣形をつくりだした画期をなす。われわれは、武装蜂起主義的盲動によって害悪を流した彼らを日本階級闘争から放逐するイデオロギー的＝組織的闘いを断固としておしすすめ、この地平をきりひらいたのだ。

革命的反戦闘争の真価を発揮

われわれはアメリカ帝国主義のベトナム侵略に反対する闘いを日本の地においてくりひろげるための決定的環はなにかを明らかにしつつ相模原闘争をたたかいぬいた。これが第三の意義である。

われわれの掲げる「ベトナム侵略阻止」は、海の向こうで勃発している熱い戦争を直接阻止することを意味するのではない。ほかならない日本の地においてたたかっているわれわれが、米・ソ（中）の角逐の焦点としてのアメリカ帝国主義のベトナム侵略に反対するのである。反米民族主義的あるいは議会主義的に歪められている既成の平和運動をのりこえ、このベトナム反戦闘争をくりひろげるのだ。そしてベトナム侵略に日本帝国主義が全面的に協力・加担し支えている事態にたいして、そしてまたこのことの現実的な現われとして、日米安保条約にもとづいて在日米軍基地がベトナム侵略のための発進・補給・兵站基地として、つまり侵略拠点としてフル回転させられている事態にたいして反対することを、われわれはみずからの任務とするのである。日本の地において、ベトナム侵略のためにおこなわれている戦車搬送を阻止する闘いこそがベトナム戦争を阻止するための具体的闘いであること――われわれはこうした問題をも明らかにしてきたのである。

こうした論理は、「ベトナム（戦争）問題のプロレタリア的解決」主義とまとめられた偏向――「ベトナム問題のプロレタリア的解決」と名づけた、本来的あるべき展望（ベトナムからのアメリカ帝国主義軍隊の叩きだし）を想定し、ここから天下って、「日本人民の任務」をこの「プロレタリア的解決」の一環として位置づけるという偏向を克服するための内部論議をつうじて明らかにされた。あくまでも日本の地においてたたかうわが同盟が、ベトナム戦争をめぐる既成の反対運動と対決し、これをのりこえるという実践的立場（のりこえの立場）に立脚していかに任務・方針を解明するべきか、をあらためて明確にしたのである。

（以上の内部論議にかんしては、黒田寛一『労働運動の前進のために』こぶし書房刊、一三一～一三二頁、小早川勝興「一九七〇―八〇年代反戦闘争論の〝レファシ〟」『はばたけ！　わが革命的左翼』ＫＫ書房刊、上巻二四五頁以下を参照。）

補　「11・8事件」を利用した「反革マル」策動との対決

われわれは、11・8ノースピア闘争へのとりくみの過程において、同時にいわゆる「11・8事件」をうみだした。わが仲間たちは、早大文学部校舎での全学連決起集会にたいするスパイ行為をはたらいていた中核派活動家・川口君を摘発した。「革マルせん滅」を戦略にまつりあげるにまでいたったブクロ＝中核派、その一員としてスパイ行為をはたらいた川口君にたいする自己批判をわが仲間たちは当然にも断固として要求し追及した。この追及過程で川口君がショック症状をおこし、死亡したのである。

わが同盟は、ただちに事実を公表するとともに、一部の全学連の仲間が「党派闘争の論理と倫理」にのっとっていると確信しつつも、事実上それをはみだしてしまったこと、そしてこうした事態をうみだした組織的責任を明確にし、誤りを誤りとして率直に認め労働者・人民の前に自己批判を明らかにした。この自己批判をバネにして、国家権力・日共スターリニスト・小ブル諸雑派が一体となり「11・8事件」を政治主義的に利用してしかけてきた「反革マル」策動を木端微塵に打ち砕くために奮闘したのである。

〈参考文献〉

・『解放』第二四六、二四九、二五一号
・『解放』第二五五号座談会
・『共産主義者』第二十九号
・『闘う全学連』第十五＝十六集

谷川涼太

一九七二年10・28
総評青年協北熊本闘争

「自衛隊の沖縄配備を許すな！」――一九七二年の十月二十八日、北熊本現地に全国から結集した一万二千名の青年労働者・学生は、沖縄への本格配備を目前にした陸上自衛隊が移動の準備をすすめている清水駐屯地にむけての、そして熊本市街中心部での戦闘的デモを果敢にくりひろげた。

この年の五月十五日に沖縄の施政権がアメリカから日本に返還されて以降、日本政府（七月成立の田中角栄政権）は、「沖縄の防衛に責任をもつのは当然」などとうそぶきながら、陸・海・空の自衛隊を沖縄に配備する策動を着々とすすめてきた。日米安保条約（第六条）の適用範囲を東アジア全域へと拡大したこと（六九年十一月の佐藤―ニクソンの「日米共同声明」）にふまえて日本帝国主義権力者は、日米の軍事同盟体制をいっそう強固に築きあげるとともに、日本をアジアにおける軍事大国として飛躍させることをめざして、沖縄への自衛隊の配備に本格的にのりだそうとしていたのだ。

政府・権力者のこの新たな攻撃にたいして社会党・共産党両党や当時の労働組合のナショナルセンター・総評（日本労働組合総評議会）の議長・市川誠（全駐労）、事務局長・大木正吾（全電通）指導部がまったくの無対応をあらわにしているなかで、総評青年協議会に結集する全国各産別労働組合の青年労働者たちは、現地闘争としては初めての全国闘争として、断固たる反対闘争を実現した。

全国１万2000名の労・学が結集した総決起集会（1972年10月28日、八景水谷公園）

動力車労組や国鉄労組の青年部を先頭にしてかちとられた総評青年協のこの北熊本闘争は、労働組合（青年部）として〈反戦・反安保―自衛隊の強化反対〉を公然と掲げてたたかった、という質的高さのみならず、青年労働者がみずからの力で労働運動の既成指導部を下から戦闘的につきあげ、その承認あるいは黙認をかちとって全国闘争を組織化した、という点においても画期的な闘いであった。そしてまさに、この闘いを支え、牽引したものこそ、わが革命的・戦闘的労働者にほかならなかった。急速に右傾化の度を深めつつあった総評指導部と各産別のダラ幹の支配のもとにありながらも、わが革命的・戦闘的労働者を先頭にした青年労働者たちは、上からの規制・抑圧をはねのけてこの北熊本闘争を実現するために各産別で組織的闘いをくりひろげ、ついにその戦闘的爆発をかちとったのである。

Ⅰ　万余の青年労働者・学生が自衛隊の沖縄配備阻止に決起

全学連戦士が自衛隊総監部に突入

北熊本での現地闘争は、全国闘争前日の十月二十七日に、全学連の戦士がくりひろげた果敢な陸上自衛隊総監部突入闘争によって幕が切って落とされた。陸上自衛隊の西の司令部であり、沖縄への配備の指揮をとる中枢・西部方面総監部（熊本市東部）にたいして、全学連の三名の仲間は厳戒体制を突き破って断固たる闘いの意志をつきつけたのだ。

三人の戦士たちは、この日午前十一時二十五分、総監部正門ゲート警衛詰所に一発目の火炎ビンを投げつけて門衛を追い散らし〈革マル旗〉を高く掲げて総監部本館に突進した。あわてふためいてかけつける自衛隊員に向かって全学連の戦士たちは二発、三発と火炎ビンを炸裂させて撃退し、「自衛隊沖縄配備阻止！」のシュプレヒコールを基地の真っただなかに轟かせたのである。

熊本大構内での全学連の決起集会（72年10月27日）

この果敢な闘いは、全国の労働者・人民のまえに自衛隊沖縄配備を強行する政府・防衛庁の反動的な狙いを鮮明に暴きだし、翌二十八日の闘いにむけて現地に集結しつつある労働者・学生を限りなく鼓舞する闘いの烽火となったのだ。

「全学連への弾圧を許すな！」

全学連の陸上自衛隊総監部への突入闘争によって火ぶたが切られた闘いは、二十八日当日の青年労働者と学生一万二千の大デモンストレーションによって最高潮に達した。

自衛隊駐屯地をめざして、集会場の八景水谷公園から国道三号線を埋めるデモが、巨大な一つの生き物のように波うちながら進んでいく。九州ブロック各県評青年協を先頭にして、各地方あるいは各単産ごとの梯団が、それぞれ戦闘性を競いあうかのように、かけ声とともに大きくジグザグを描く。あまりの大部隊の迫力に圧倒されて、九州管区全域から集められた機動隊は、規制に入ることもできない。

やがて動労、国労六〇〇名を先頭とする関東ブロック一千余名の大部隊と、それにつづいて全学連と反戦青年委員会の千余のデモが駐屯地に近づいたそのとき、機動隊が全学連と反戦の部隊に集中して襲いかかってきた。

前日の総監部突入の闘いにたいして憎悪をつのらせた警察権力は、全学連と反戦の隊列に報復的な弾圧をかけてきたのだ。デモを十重二十重に包囲し全体の隊列から切り離そうとして側面から大楯をふりかざして乱打する機動隊を、全学連の学生たちは、傷を負わされて血まみれになりながらも固いスクラムで押し返し、なおもジリジリと前進する。だが、このとき、全学連と反戦に集中的な弾圧が加えられていることを目にした関東の動労・国労の白ヘル部隊が、Uターンして機動隊の壁に突進し、指揮者の号令一下その場で抗議の座り込みを開始した。「学生や反戦の仲間への弾圧を許さないぞ！　機動隊は弾圧をやめろ！」シュプレヒコールを合図に、座り込みは前方の東海、関西、中・四国ブロックから九州の部隊の最後部へ、さらに後続の関東の各産別、東北、北海道ブロックの隊列へとまたたく間に波及する。

九州の大動脈である国道三号線の広い道幅いっぱいに、数百メートルにわたって青年労働者がスクラムを組んで座りこみ、いっさいの交通をぶっ止めて、全学連・反戦への選別的弾圧を怒りを込めて弾劾する。ようやく暮れかかった空に、「労学は連帯してたたかうぞ！」と共にたたかうもの同士の熱い連帯のシュプレヒコールが轟きわたる。

三十分にもわたる労働者の抗議の座り込み闘争に、権力はなすすべもなく、とうとう全学連と反戦への規制・分断をあきらめざるをえなくなった。再びデモを開始した全学連と反戦に、座りこんだ労働者たちは惜しみない拍手と歓声をおくったのである。

ちなみに、この日かろうじて集会に登場したものの、社青同解放派や九州にのみ残存していたキャノン派系の第四インター、そして民同の手下でしかないことが誰の目にも明らかになっている社会主義協会両派（向坂派、太田派）などの学生やルンプロ反戦の部隊は一目散に解散地に向かって消えさった。これらとは対照的に、弾圧に屈することなく、戦闘的なデモをくりひろげる全学連と反戦青年委員会。この力強い闘いを眼の当たりにした全国の青年労働者たちは、「これこそオレたちの仲間だ！」という共感をもって、連帯の座り込み闘争を敢行したのだ。

戦闘的なデモンストレーションで休むことなく熊本市街へとつき進んだ労働者と学生は、繁華街のどまんなかでも縦横無尽のデモをくりひろげた。規制にでた機動隊をはねのけて再び座り込み闘争をおこない、熊本現地の労働者・市民にたいしても「自衛隊配備反対」の意志を強くアピールしたのである。

本土—沖縄を貫く反戦の炎　総決起集会

この日の闘いの戦闘的な質は、デモに先だつ総決起集会において如実にしめされた。各地から貸し切りの〝反戦列車〟をも仕立てて熊本郊外の八景水谷公園に隊列を組んで集まってくる青年労働者たち。それぞれのブロックの先頭は動労や国労の白ヘルメットが占めている。広大な公園も、やがて赤旗を掲げた青年労働者で埋めつくされた。

右派ダラ幹の影響下にある全電通の代表の基調報告ですら、青年労働者が独自の反戦闘争にとりくんでいることの画期的意義を強調する、というように、集会の演壇にたった発言者は、「反戦・反安保・自衛隊の配備阻止」の闘いをさらに前進させていく決意を次々と表明した。わが革命的・戦闘的労働者の組織的闘いに支えられた下からの闘いの盛りあがりに規定されて、〝民同の子分〟を自他ともに認めてきた青年部役員たちまでが、左翼性を競って、「沖縄の核基地つき返還策動反対」などとわが『解放』を丸うつしするような発言をおこなったほどであった。

沖縄の労働者の連帯の挨拶は、とりわけ圧倒的な共感をもって迎えられた。「沖縄一〇〇万の労働者・人民を代表して」発言した沖縄の青年労働者は、既成指導部が施政権の返還・「本土復帰」後にまったく無方針状態に叩きこまれている惨状を突破して、県労協青年協を結成した青年労働者が、自衛隊の沖縄への配備を阻止するために決起していることを誇りにみちて報告した。こうした闘いをつくりだすためにも、「核基地つき自由使用返還」でしかないことが現実をもってつきつけられた沖縄施政権返還をこれまで「祖国復帰」の名のもとに美化してきた県労協指導部の破産を教訓化しのりこえることが不可欠であることを彼は、力強く訴えたのだ。

これらの発言に耳を傾けながら、多くの労働者たちは、沖縄―本土の連帯した闘いを切り拓いていく力を、この場に結集している自分たち青年労働者が既成の指導部をのりこえてつくりだす以外にないことを胸に刻みこみ新たな決意をうち固めたのであった。

Ⅱ　社・共の闘争放棄に抗し労働戦線から反安保の烽火

一九七二年五月十五日に沖縄の施政権が最終的に日本政府のもとに返還されたことにともなって、自衛隊の沖縄への配備は、次のようにすすめられた。

ベトナム戦争における敗退局面にあってアメリカ帝国主義のニクソン政権は、アジアにおける核軍事戦略体制を抜本的に再編しつつあった。ニクソン政権は中・ソ対立の激化を利用して、この対立にクサビを打ちこみつつ中国との「関係改善」をおしすすめた。これを前提として、ベトナムへの軍事援助を強めていたソ連を「主敵」としたものへとその核軍事戦略を転換したのだ。

「ベトナム戦争のベトナム化」＝米軍のベトナムからの撤退を掲げ、まさに「ベトナム化」を実現するためという名目で、アメリカ軍は軍事的劣勢を挽回するために北ベトナムへの連日三〇〇波にもおよぶ空爆をも強行し、また南ベトナムへの兵器輸送を強化した。そしてこの軍事侵略は、六九年のニクソンと佐藤栄作による日米共同声明において宣言された日米軍事同盟の強化を基礎にして、すなわち在日米軍基地を侵略のための出撃、兵站、補給基地として全面的に稼働させるという日米両国家権力の合意にもとづいておこなわれていたのだ。とりわけ、施政権返還後の沖縄の位置と役割は、アメリカのアジア核軍事戦略体制の要石としてむしろますます重要なものとされたのである。

したがって、沖縄への陸上自衛隊三千名、航空自衛隊のF104戦闘機部隊一千名を中心とした本格的な自衛隊配備は、沖縄の米軍基地の機能を十全に保障し、かつその防衛の任務（の一部）を米軍から肩代りするためにおしすすめられたのだ。もちろん、日本帝国主義国家権力者は、日米安保同盟の強化の一環としての自衛隊の沖縄配備を、同時に日本帝国主義の軍事的強大化をめざしたそのワンステップとしても位置づけていたわけなのだ。

このような自衛隊の沖縄配備に反対する闘いは、この攻撃がアメリカ帝国主義のベトナム侵略の拠点たる沖縄の米軍基地を防衛しその機能を保障するためのものにほかならないがゆえに、自衛隊の強化に反対する闘いとしてのみならず、ベトナム反戦・反基地の闘いと結びつけてたたかわれるべきこと。――わが同盟はこのことを明らかにして、労学両戦線での闘いを牽引した。

動労・国労の部隊が国道３号線で座り込み（72年10月28日）

同時にわれわれは、この新たな攻撃が、ほかならぬ日米軍事同盟の強化の具体的なあらわれであることを暴きだし、自衛隊の沖縄配備反対の闘いを安保同盟強化に反対する反安保の闘いとして、さらには安保条約の破棄をもめざしてたたかうべきことを訴えてたたかったのである。とりわけ、核基地沖縄の施政権返還を日米軍事同盟の強化と切り離してとらえるがゆえに、沖縄への自衛隊配備反対の闘いにとりくむことすら放棄して、もっぱら沖縄県民の反日本軍・反自衛隊の感情に依拠した「反自衛隊」宣伝に矮小化する社・共既成左翼の錯誤を暴きだしこれをのりこえるかたちでわが同盟は奮闘したのである。反米のナショナリズムに陥没した社・共の単純な裏返しとして、この闘いをもっぱら日本帝国主義の海外侵略に反対する「反日帝」闘争としてたたかうべきことを主張したブントなどの小ブル雑派の漫画性をも暴きだしながら。

Ⅲ　日本労働運動の戦闘的再生をめざし　青年労働者の底力を示す

全国から一万二千名もの青年労働者が結集してたたかわれた北熊本闘争は、労働組合（青年部）の闘いとしては画歴史的な闘いであった。

総評指導部や傘下の各産別の大部分が、実質的に反戦政治闘争へのとりくみを放棄しているなかで、わが革命的・戦闘的労働者を先頭とした先進的な青年労働者たちはこの総評のもとにありながらも、反戦・平和の闘いをいまだたてまえ上は否定はしていなかった当時の総評や各産別・単組のダラ幹を下からつきあげて青年部としての全国的とりくみを認めさせ、組合の方針を左翼的・戦闘的なものに最大限塗りかえつつ、青年部における闘いを着実に組織化してこの日の闘争を実現したのである。

七〇年安保闘争のただなかで、既成の労働運動を「日和見主義」「体制内化」と烙印してそこからはみ出した〝戦闘的〟な運動――つまりは一握りのルンプロ集団によるハミダシ運動――をつくりだすことを自己目的的に追求した小ブル諸派がことごとく破産し雲散霧消してしまったこととは対照的に、労働組合に深く内在しつつ既成の労働運動を内側からのりこえていく苦難に満ちた闘いこそが、労働者本隊の闘いの戦闘化を、その真のラジカルな転換をかちとりうるのだ、ということをこの北熊本闘争は誰の眼にも明らかに映しだしたのだ。

実際、各産別のたたかう労働者は、春闘での交運ゼネストや反戦闘争へのとりくみをつうじてみずからの所属する労働組合の戦闘化・階級的強化をかちとるだけでなく、この闘いの質を、各地評（県評）内の他産別の青年労働者との交流をつうじて横にもおし広げてきた。北熊本闘争はこのような地道な闘いの成果でもあったのだ。

とりわけ動労の戦闘的な闘いは、社共両党や総評中央の指導のもとで反戦政治闘争のみならず反合闘争や春闘へのとりくみさえもが議会主義的に歪められ無力化させられているなかで、すべての青年労働者のあいだに熱烈な共感と支持を生みだした。「動労のようにたたかおう！」が多くの労組の青年労働者の合言葉になったのであった。地評青年協や公労協青年部、産別ごとの共闘などの各種の統一行動は、このような青年労働者の闘いのエネルギーを結集し、またいっそうそれをおし広げる場となったのである。

七一年の沖縄返還協定批准阻止闘争における動労と国労の青年部を先頭とした連日の国会前座り込み闘争の実現(本シリーズ本誌第三〇三号参照)。これをつうじて七二年の三月にはついに総評青年協の結成がかちとられ、青年労働者の独自的闘いを組織的にも保証することが確認されたのである。北熊本闘争は、まさに総評青年協としての初めての全国的規模での現地闘争として実現されたのである。

日共系や太田派系幹部の敵対を粉砕

この北熊本現地闘争へのとりくみにたいしては、総評内部からは、中央本部の有形無形の抑圧や統制のみならず、あからさまな妨害もかけられた。なかでも悪質なものが、日共系指導部が牛耳る労組からの真正面からの敵対であった。都教組や大阪教組などの執行部を握る日共系ダラ幹どもは、北熊本闘争が「自衛隊の沖縄配備反対」を掲げてたたかわれようとしていることにたいして、「〔米・日反動という〕二つの敵を見失う新日和見主義的傾向に陥っている」などと難くせをつけて反対するという態度をとったのである。時あたかもわが同盟の反戦・反安保闘争の高揚に揺さぶられることをも一契機として、日共内に「日帝自立論」「反日帝闘争主義」とでもいう傾向が青年学生戦線を中心にあらわれていた(川端治=山川暁夫、川上徹ら党中央いうところの「新日和見主義」の発生)。このゆえに自己保身にかられた党中央は、「自衛隊配備に反対するのは新日和見主義」などという錯乱した主張をおこなったわけなのだ。彼らはこのようなセクト主義的言辞をふりまわしつつ、みずからは実質上この闘争へのとりくみをボイコットしたのである。

青年協としてのとりくみに抵抗したもう一つのグループは、九州地方を唯一の地盤としていた社会主義協会太田派の部分であった。国労、全逓などを中心に、九州における労働運動の「主流派」を自任していた彼ら太田派は、その内に二分裂をはらみながらもみずからの棲息地・九州の地に、動労などの戦闘的部隊が登場することを死ぬほど恐れていた。(彼らの戦闘性の〝証し〟は、組合員に揃いのヤッケを着用させ、荒縄をベルトがわりにするといういささかローカルでアナクロなものでしかなかった。)熊本での闘いの設定への敵対にはじまって、青年協運動にたいしても反対して「社共共闘」を主張する太田派は、闘争のただなかにおいても、九州ブロックを全体から隔離するのに汲々とする、という犯罪的な姿をさらけだしたのである。

　革命的・戦闘的な労働者たちは、これら日共系や太田派系部分の敵対にたいして断固として対決した。日共系ならびに太田派系のダラ幹どもが自衛隊の沖縄配備という攻撃になんら対決しえない根拠をも暴きだし、そのセクト主義を粉砕する闘いを、それぞれの組合の内外において執拗にくりひろげてたたかったのである。右派や日共系がヘゲモニーを握っている労組においても、下からのつきあげによって動員枠を拡大させたり、あるいは反戦青年委員会の一員としてこの現地闘争に参加し、各々の職場で闘いを抑圧する指導部の問題性を組合員のまえに暴きだし彼らをのりこえる方向性をもさししめす、というかたちで革命的・戦闘的労働者たちはたたかった。

　六〇年代後半において、社会党・総評のもとにつくられた反戦青年委員会の運動は、社民ダラ幹の無指導と戦闘的闘いへの抑圧、そして反代々木諸党派による「党派反戦」としてのセクト的ひきまわし・分断によって、全体としては雲散霧消せざるをえなかった。まさにこの党派的分断による反戦青年委員会の実質的崩壊を教訓化しのりこえつつ、革命的・戦闘的労働者たちは、既成労働組合（青年部）を、青年労働者の戦闘的闘いの創造をつみかさねることをつうじて着実に左翼的につくりかえるという闘いをくりひろげた。まさに民同をはじめとする既成の労働運動の〝内在的超克〟の闘いとして、北熊本における全国青年労働者の画期的な闘いを実現したのである。

　わが革命的・戦闘的労働者による、右傾化の一途をたどる日本労働運動を根本からつくりかえる闘いは、あらゆる産別・地方においてさらに広範におしすすめられ、翌七三年以降の春闘ゼネストの爆発やかの歴史的なスト権ストライキ（七五年）をも可能にする力を着実に構築していったのである。

水俣四郎

〈シリーズ　わが革命的反戦闘争の歴史〉掲載一覧

・60年安保闘争　闘いの高揚と挫折——ブント主義をいかにのりこえたのか？　三宅深海（第二九〇号）

・米・ソ核実験反対闘争　その1　62年8月6日モスクワ「赤の広場」デモ　野辺山進（同）

・米・ソ核実験反対闘争 その2 国際学連大会にのりこみ中・ソ学生官僚と大論戦　野辺山進（同）
・米・ソ核実験反対闘争 その3 原水禁運動の破産を宣告し全国に闘いの炎　初島厳太郎（同）
・米・ソ核実験反対闘争 その4 左右の偏向を克服するための思想闘争　初島厳太郎（第二九一号）
・キューバ危機をめぐる思想的対立と分裂　仁科郷介（同）
・63―65年 日韓会談―条約締結阻止闘争　榊舞太郎／長浜精一（第二九二号）
・65年 ベトナム反戦闘争の創造　市井直司（同）
・反戦青年委員会を換骨奪胎する闘い　長浜精一（同）
・67年 砂川基地拡張阻止闘争　真地五朗（第二九五号）
・67年 4・28沖縄闘争　小机朝子（第二九六号）
・68年 安保＝沖縄闘争　小机朝子（同）
・67年 10―11月羽田闘争　長浜精一（同）
・68年1月 エンタープライズ佐世保寄港阻止闘争　高森市蔵（第二九八号）
・68年2―4月 米軍王子野戦病院反対闘争　高森市蔵（同）
・68年10月 新宿米軍タンク車輸送阻止闘争　初島厳太郎（同）
・69年「B52撤去」2・4沖縄ゼネスト　霧島武／霞張三（第三〇〇号）
・69年8月 本土―沖縄を結ぶ渡航制限撤廃闘争　霞張三（同）
・69年 安保＝沖縄闘争を牽引　山川鮎太（第三〇一号）
・70年安保闘争の高揚を切り拓く　山川鮎太（第三〇二号）
・71年沖縄返還協定粉砕闘争 その1 沖縄全島をゆるがした5・19ゼネスト　荻堂克二（第三〇三号）
・71年沖縄返還協定粉砕闘争 その2 首都で燃えあがった調印・批准阻止闘争　水俣四郎（第三〇三号）
・72年3―4月 沖縄全軍労無期限ストライキ　霞張三（第三〇四号）
・72年4―6月 動力車労組の反戦順法闘争　古鶴武士（第三〇五号）
・72年8―11月 相模原闘争 三ヵ月の激闘　谷川涼太（第三〇六号）
・72年10・28 総評青年協北熊本闘争　水俣四郎（同）

国際・国内の階級情勢と革命的左翼の闘いの記録（二〇一九年十二月〜二〇二〇年一月）

国際情勢

12・1 イラク・ナジャフのイラン総領事館に失業・汚職・イランの介入に抗議するデモ隊が放火

12・2 **国連気候変動枠組み条約第25回締約国会議（COP25）がマドリードで開幕。温室効果ガスの削減目標引き上げの義務づけを合意できず**（〜15日）

▽ロシアから中国への天然ガスパイプラインが初開通

12・3 NATO首脳会議（〜4日）。中国の5Gをめぐり米欧対立。トランプが加盟国の軍事費増額要求

12・5 仏マクロン政権の年金制度改悪に反対して国鉄・教育労働者などが無期限ストに突入、150万人がデモ。全労組統一行動で180万人がデモ（17日）

12・7 米政府がEUのエアバスへの補助金を不当と非難し100％の制裁関税を課すと発表

12・8 北朝鮮が7日に「重大実験」と発表。ICBM用固体燃料エンジン試験か？ 13日に再び

▽**中国・武漢市が新型肺炎患者発生と発表**

12・9 ウクライナ・ロシア和平協議がフランス・ドイツの参加のもとにパリで再開。年内に停戦で合意

12・10 アルゼンチンで左派のアルベルト・フェルナンデスが大統領に就任。「貧困や飢餓」の解決を表明

12・11 米FRBが4会合ぶりに利下げを見送る

▽イスラエル国会が「青と白」ガンツの組閣断念を受け解散。20年3月に1年間で3度目の総選挙へ

12・12 **イギリス総選挙でEU離脱を掲げる首相ジョンソンの保守党が過半数を占め勝利**

国内情勢

12・2 政府と東京電力が福島第一原発デブリ取り出しを2号機から開始と工程案に明記

▽7〜9月期法人企業統計で全産業の売上高が前年同期比2・6％減。大企業の内部留保は471兆円で過去最高

12・3 **「連合」中央委員会で2020年春闘方針を決定。「上げ幅」ではなく「賃金水準」を要求、「時給1100円以上」など**

12・4 **教員の年単位の変形労働時間制導入の給特法改定案が参院で可決・成立**

▽日米貿易協定承認法案が参議院で可決・成立

▽アフガニスタンで用水路建設を指導していた中村哲医師が何者かに銃撃され死亡

12・5 政府が事業規模26兆円、財政措置は国・地方で計13兆円超を補正予算と20年度予算にくみこむ経済対策を決定

12・6 内閣府が10月の景気動向指数発表、前月比5・6ポイント減で11年3月につぐ下落幅

▽総務省家計調査で10月の消費支出が前年同月比5・1％減。消費税増税の影響

▽立憲民主党が国民民主・社民両党に合流提案

12・12 自民・公明両党が20年度税制大綱を決定、企業優遇のイノベーション促進を謳う

12・17 文部科学相・萩生田光一が20年度大学入学共通テストへの国語・数学の記述式の導入

革命的左翼の闘い

12・3 琉球大学と沖縄国際大学のたたかう学生が辺野古埋め立て用土砂搬出阻止の海上大行動（名護市安和桟橋）に決起。労働者・学生・市民が連帯して海と陸とで阻止行動

12・7 奈良女子大学と神戸大学のたたかう学生が「不戦のつどい」（奈良市）で奮闘。200名の労働者・学生・市民とともに市街地をデモ

12・8 **革共同政治集会（東京）を1500名の労働者・学生を結集し盛大に実現。**「革命的マルクス主義の真価を発揮し〈暗黒の21世紀〉を覆せ」という基調報告の提起をうけわが反スターリン主義運動の雄飛を決意。来日したアルゼンチンのFLTIの闘士が熱烈な挨拶、固く連帯してともにたたかうことを誓いあう。革命的労働者と全学連新委員長が決意表明

12・11 早稲田大学や国学院大学の首都圏のたたかう学生が首相官邸前で『桜を見る会』不正接待弾劾・中東派兵阻止・改憲阻止」の緊急抗議闘争

12・12 琉大学生会と沖国大学生自治会が「香港人民への武力弾圧弾劾・『桜を

▽米が地上発射型中距離弾道ミサイルの発射実験

12・13　米中が貿易協議の「第一段階」を合意し第4弾の追加関税の発動を双方が見送り。米は発動済みの関税の一部引き下げ、中は米農産物輸入拡大など

12・18　米下院本会議がウクライナ疑惑にかんする「権力乱用」などでトランプの弾劾訴追を決議

12・19　インドでムスリムが抗議デモ、ムスリム以外の移民に国籍を与える国籍法改定に反対。24日までに政府の弾圧で25人が死亡。27、28日も大規模デモ

12・20　トランプが米国防権限法に署名。「宇宙軍」発足

▽マカオ返還20年式典で習近平が「一国二制度」誇示

12・27　**中・露・イランがオマーン湾・アラビア海で初の合同海上軍事演習を開始**（～30日）

▽ロシアが極超音速ミサイル「アバンガルド」を配備

▽イラク北部の米軍駐留拠点にシーア派武装勢力「カタイブ・ヒズボラ」がロケット弾攻撃

12・29　米軍がイラクとシリアのカタイブ・ヒズボラの拠点5ヵ所を空爆。イラクでは25人死亡

12・31　**イラク・バグダッドの米大使館敷地内に反米のデモ隊が侵入し放火**

▽北朝鮮の朝鮮労働党中央委員会総会閉幕（28日～）、金正恩が「苦しく長い闘争を決意」と表明

1・1　香港で「5大要求」を掲げ100万人以上がデモ

1・2　トルコ国会がリビア暫定政府支援＝派兵の権限を大統領に与える法案を可決

1・3　**米軍がバグダッド空港付近で、イラン革命防衛隊司令官ソレイマニとカタイブ・ヒズボラ指導者アルムハンディスの乗った車を無人機でミサイル攻撃**

の見送りを表明

12・18　防衛相・河野太郎が訪中し中国国防相と会談、尖閣・南シナ海問題で協議するも対立

▽かんぽ生命保険の不正販売問題で特別調査委員会が違反疑惑は1万件超と発表

12・19　IR収賄容疑で東京地検特捜部が自民党衆院議員・秋元司の事務所など捜索、中国企業からの現金受領など。秋元を逮捕（25日）

▽政府の全世代型社会保障検討会議が中間報告で75歳以上の医療窓口負担を2割に引き上げ

12・20　**20年度予算案を閣議決定。102・7兆円で過去最高。軍事費5・3兆円で8年連続の最高**

12・23　首相・安倍晋三が訪中し習近平と会談、20年春の習訪日などを協議

12・24　日中韓首脳会談（北京）。北朝鮮問題やFTA問題を協議

▽日韓首脳が1年3ヵ月ぶりに正式会談

12・25　**防衛省が辺野古新基地工事に今後12年、工費は9300億円と発表**（2・7倍増）

12・27　**中東への自衛隊派遣を閣議決定、防衛省設置法にもとづく「調査・研究」の名目で国会審議をすりぬけ**

▽金融庁がかんぽ保険問題でかんぽ生命と日本郵便に3ヵ月間の一部業務停止命令。日本郵政社長・長門正貢ら3社社長が辞意表明

12・31　日産元会長カルロス・ゴーンが日本を脱出しレバノンで声明、日本の司法制度を批判

1・6　安倍が年頭会見で「改憲を成し遂げる意

見る会」不正接待弾劾」を訴え県庁前で街頭情宣（那覇市）。沖縄を訪れた香港市民とも交流

12・14　沖縄県学連が辺野古土砂投入開始1年でよびかけられた海上行動（辺野古現地）に起つ。キャンプシュワブ・ゲート前での資材搬入阻止闘争と連携し土砂陸揚げ護岸にカヌー隊と抗議船が肉迫

12・19　わが同盟が日米共同軍事演習「ノーザン・ヴァイパー」反対の「総がかり行動」の集会とデモ（札幌市）で情宣。「自衛隊の中東派兵反対・改憲阻止」をよびかける

12・20　鹿児島大学共通教育学生自治会が馬毛島米軍機離着陸訓練基地建設反対の県民「緊急抗議行動」（鹿児島県庁前）で奮闘。「地元説明」に県庁を訪れた防衛副大臣に弾劾のシュプレヒコール

12・27　**全学連が自衛隊の中東派遣閣議決定弾劾の首相官邸前抗議闘争**。「中東派兵阻止・憲法改悪阻止・安倍政権打倒」の声を轟かす

12・28　わが同盟が金沢市街で中東派兵閣議決定弾劾の街頭情宣

1・10　琉大学生会と沖国大自治会が平和運動センター主催の「自衛隊の中東派

し殺害。イラン最高指導者ハメネイが報復を宣言

1・5 イラン政府が「核合意の制約を撤廃」と宣言

▽ソレイマニの生誕地で国葬、100万人参加

▽**イラク議会が米軍を初めとした外国軍の撤退を決議。暫定首相アブドルマハディが米政府に米軍撤収を要請**（9日）。米国務省が拒否する声明（10日）

1・8 **イラン革命防衛隊がイラクの米軍駐留基地2ヵ所をミサイルで攻撃。ハメネイはソレイマニ殺害への報復として「アメリカに平手打ち」と表明**

▽トランプがイランへの軍事報復はしないと表明

▽テヘラン空港近くでウクライナの旅客機が撃墜され176人全員が死亡。革命防衛隊がウクライナ機を巡航ミサイルと誤認して撃墜したと認め謝罪（11日）

1・9 全米370ヵ所で対イラン戦争に反対するデモ

▽仏各地で年金改悪反対の170万人デモ。ストは36日目

1・10 アラビア海での米駆逐艦と露軍艦船の異常接近（9日）をめぐり両政府が互いに非難

1・11 イランでウクライナ機撃墜・隠蔽に抗議する反政府デモ。デモ参加者30人が拘束（14日）

▽台湾総統選で現職の蔡英文が過去最多の800万票超で圧勝。立法院選でも与党民進党が過半数獲得

1・12 イラク中部バラドの米空軍駐留基地にロケット弾8発が撃ちこまれる。米主導有志連合軍駐留のイラク・タジ基地にもロケット弾数発（14日）

1・14 英仏独の外相がイラン核合意の「紛争解決メカニズム」の手続きを開始すると共同声明

1・15 **露大統領プーチンが年次教書演説で国家評議会の権限強化を柱とする憲法改定を提案、首相メドベージェフが内閣総辞職を表明。**後任に連邦税務局長

志に揺らぎはない」と表明

1・9 自動車総連がベースアップ統一要求を見送る方針、2年連続

1・10 河野が護衛艦1隻とP3C2機の中東派兵を命令。P3Cが沖縄から出撃（11日）

▽政府がIR運営事業者を監督するカジノ管理委員会の初会合を開催

▽11月消費支出が前年同月比2％減

1・11 安倍がサウジアラビア・UAE・オマーン歴訪へ。UAE皇太子ムハンマドと会談し自衛隊補給地にフジャイラ港使用を合意（13日）

1・14 官房長官・菅義偉が「桜を見る会」推薦者名簿の一部消去を内閣府が施したと認める

▽警察庁長官に松本光弘、警視総監に斉藤実を決定。五輪警備を口実に治安強化を狙う

1・17 **広島高裁が伊方原発3号機の運転差し止めの仮処分を決定**

1・18 **日本共産党第28回大会終了**（14日〜）。綱領改定と22年までに野党連合政権実現をめざす方針を決定。「ジェンダー平等の党への自己改革」を謳う

1・19 日米安保条約調印60周年式典で安倍が「宇宙・サイバー空間の安全を守る柱として日米同盟を発展させる」と演説

1・20 国会召集、安倍が施政方針演説。日米同盟強化を強調、「桜を見る会」など言及せず

1・21 内閣府が「桜を見る会」招待者の首相推薦は約9千人とする文書を公開。名簿を廃棄したPCの履歴開示要求を安倍が拒否（22日）

兵反対緊急集会」（那覇市）に結集したたかう

1・11 沖縄県学連が海上自衛隊P3C哨戒機の中東出撃阻止の闘いに決起。航空自衛隊那覇基地ゲート前で防衛相・河野太郎に弾劾の嵐

1・13 北海道のたたかう学生と労働者が全国基地問題ネットワーク主催の「日米共同訓練反対集会」（千歳市）に結集し奮闘。わが同盟が「アメリカのイラン攻撃反対・日本国軍の中東派兵反対」をよびかける檄

1・14 北海道大学のたたかう学生と反戦青年委員会の労働者が「ノーザン・ヴァイパー」阻止の千歳現地闘争に起つ。全国から結集した100名の労働者・市民とともに空自千歳基地ゲート前で抗議闘争

1・15 たたかう金沢大生が海自P3C中東出撃反対の学内情宣

1・18 鹿大共通教育学生自治会が日米共同軍事訓練「フォレスト・ライト」抗議集会（宮崎県えびの市）に決起。結集した労働者に日本国軍の中東派兵阻止を訴える

▽北大のたたかう学生が「ノーザン・ヴァイパー」に反対する「全道総決起集会」（札幌市）に参加したたかう。650名の労働者・市民とともに札幌中心街

官ミシュスチンを下院が選出（16日）

1・16 米上院でトランプ弾劾裁判開始

1・17 ハメネイが金曜礼拝で、8日のイラク駐留米軍への攻撃は「米国の地位に打撃を与えた。イランの歴史の転換点」と意義を語り反米での結束を訴える

▽米国務長官と国防長官が連名で米紙に寄稿、韓国に在韓米軍駐留費負担の5倍への増額を求める

1・19 リビア和平に向けた国際会議がベルリンで独仏英露トルコ首脳と米国務長官らが出席して開催

1・20 **習近平が「新型肺炎蔓延防止」の「重要指示」を発表。中国政府が発生源とされる武漢市を封鎖**（23日）

1・22 **世界保健機関（WHO）が新型肺炎にかんする緊急会合**（〜23日）、**「緊急事態宣言」出さず。感染者が22ヵ国7800人に拡大、WHOが「国際的な公衆衛生上の緊急事態」を宣言**（30日）

1・24 バグダッドで米軍撤退を要求して数万人がデモ。バグダッドの米大使館にロケット弾（26日）

1・25 習近平指導部が新型肺炎問題で党最高幹部の会議、国外への団体旅行禁止。北京・上海などで長距離バスが運行停止（26日）。春節休暇延長（27日）

1・27 アフガニスタンでタリバンが米軍機撃墜と発表

1・28 **トランプがイスラエル首相ネタニヤフを同席させ新「中東和平案」を発表、「エルサレムはイスラエルの不可分な首都」など、パレスチナ自治政府議長アッバスは「世紀の侮辱」と「和平案」を拒否**。パレスチナ自治政府とハマスが「怒りの日」抗議行動（29日）

1・31 **イギリスがEU離脱、本年末まで「移行期間」**

▽米上院が元大統領補佐官ボルトンの証人喚問を否決

▽政府がIR認定基準の基本方針決定を先送り

▽立民・国民両党幹事長会談で合流を当面見送りと確認。社民党も結論先送り（23日）

▽経団連が『経労委報告』を発表。「一律的な賃金要求」「日本型雇用慣行」の一掃を強調

1・23 参院選時の候補者・河井案里に安倍主導で1・5億円の選挙資金提供と週刊誌が暴露

▽自民党が航空自衛隊に「宇宙作戦隊」を新設する防衛省設置法案を了承、国会提出へ

▽**電機連合春闘方針で「妥結の柔軟性を認める」と称し統一闘争を実質放棄**

1・24 厚生労働省が「マクロ経済スライド」を適用し20年度公的年金受給額を前年度比0・3%増から0・2%増に引き下げ、2年連続

1・27 新型肺炎感染拡大で東証株価が大幅下落

1・28 経団連会長・中西宏明と「連合」会長・神津里季生が春闘をめぐり会談。中西が「日本型雇用は時代おくれ」と宣言、神津が同調

▽**政府が新型肺炎を「指定感染症」に認定。武漢在住日本人第一陣206人が帰国**（29日）

▽衆院で「日本維新の会」が新型肺炎を口実に「緊急事態条項」新設の改憲論議を提唱。安倍が「活発な議論を期待」と答弁

1・29 自民党が新型肺炎で緊急会合。元防衛相・中谷元が派閥会合で「緊急事態条項」新設に言及。元衆院議長・伊吹文明も（30日）

1・31 政府の有識者小委員会が福島第一原発汚染水海洋投棄推奨の経済産業省報告書を了承

をデモ行進。わが同盟が闘いの方向性をさししめすビラを配布

1・19 愛知大学と名古屋大学のたたかう学生が「安倍政権を退陣させよう集会・デモ」（名古屋市）で奮闘。500名の労働者・市民とともに栄の繁華街をデモ。わが同盟が「中東派兵阻止・改憲阻止」をよびかける情宣

▽神戸大と奈良女子大のたたかう学生が「安倍政治を終わらせよう」総がかり行動（大阪市）に起つ。350名の労働者・市民とともに御堂筋をデモ。わが同盟が戦闘的檄

1・25 わが同盟が「連合」九州ブロック連絡会など主催の米軍演習に反対する日出生台現地闘争（大分県玖珠町）で〈反安保〉を訴える檄

1・26 琉大学生会と沖国大自治会が「安倍政権にNOを！沖縄学生デモ」に起つ。海自護衛艦「たかなみ」の中東出撃に反対し自民党沖縄県連前で抗議闘争。那覇・国際通りをデモ

1・28 鹿大のたたかう学生が「日本国軍の中東派兵阻止・憲法改悪反対」の学内集会

『新世紀』バックナンバー

No.302　2019年9月
アメリカのイラン軍事攻撃阻止
タンカー砲撃謀略弾劾／核軍事同盟の強化阻止／G20サミット反対／反戦集会海外アピール／年金問題の幕引き／AI兵器配備／盗聴法／日共内の造反／学校版「働き方改革」反対／高校普通科再編／外国人労働者搾取／70年安保闘争

No.303　2019年11月
香港人民への武力弾圧を許すな
国際反戦集会基調報告／改憲・ペルシャ湾派兵阻止／日韓GSOMIA破棄／「徴用工」強制の犯罪／かんぽ「不適切販売」／郵政65歳定年制／「介護の生産性向上」の号令／『資本論』―マルクスのパトス／71年沖縄返還協定粉砕闘争

No.304　2020年1月
サウジ石油施設攻撃事件の意味
改憲阻止・反安保の爆発を／香港警察の弾圧弾劾／消費税増税／台風被災民見殺し／日共「野党連合政権」構想批判／戦後謀略と日共の犯罪／教員の「働き方改革」／MMTの幻夢／ゲノム編集／黒田思想をわがものに／72年全軍労スト

No.305　2020年3月
今こそ反スタ運動の雄飛を！
米のイラン攻撃阻止・日本の中東派兵阻止／軍国主義帝国の最後のあがき／香港人民への武力弾圧弾劾／中国「建国70年」式典／給特法撤廃／日米貿易協定／福島原発核燃料デブリ取出し／原発「共同事業化」／72年動労反戦順法闘争

新世紀　第306号（隔月刊）

日本革命的共産主義者同盟　革命的マルクス主義派　機関誌©

発行日　2020年4月10日

発行所　解放社
〒162-0041　東京都新宿区早稲田鶴巻町525-3
電話 03-3207-1261　振替 00190-6-742836
URL http://www.jrcl.org/

発売元　有限会社 ＫＫ書房
〒162-0041　東京都新宿区早稲田鶴巻町525-5-101
電話 03-5292-1210　振替 00180-7-146431
URL http://www.kk-shobo.co.jp/

ＩＳＢＮ 978-4-89989-306-6　Ｃ0030